U0944059

萧乾 主编

新编文史笔记丛书

第四辑

39

山西省文史研究馆 编

华而实 主编

中華書局

目录

飞鸿泥雪

名士风流

阎门存照

翰墨丹青

锦心绣口

政坛殊象

笔锋文阵

玉盘珠落

至诚至敬

商门望族

胜境民俗

方物清玩

新编文史笔记丛书

序

萧 乾

读书界向来对野史有所偏爱。野史大多是信手拈来的历史片断，且往往出自亲历者之手。文直事核，不虚美，不隐恶，而文笔潇洒自如，意味隽永，自然朴实，篇幅不长；可以摊开来仔细咀嚼，也可供茶余酒后、行旅倥偬中，随手浏览。

鲁迅在《华盖集》中，曾几次对野史表示过好感。在《忽然想到》一文中写道："历史上都写着中国的灵魂，指示着将来的命运，只因为涂饰太厚，废话太多，所以很不容易察出底细来。正如通过密叶投射在莓苔上面的月光，只看见点点碎影。但如看野史和杂记,可更容易了然了,因为他们究竟不必太摆史官的架子。”又在同书《这个与那个》一文中说:“野史和杂说自然也免不了有讹传,挟恩怨,但看往事却可以较分明,因为它究竟不像正史那样地装腔作势。”

全国文史研究馆所编的《新编文史笔记》丛书,内容也属野史杂说的范畴。我们希望这些以亲闻、亲见、亲历为主的轶事掌故、琐闻杂记,写人、事而摒除误会曲解,述历史而符合真实面目。

作为一种短隽有味,文字清奇而又雅俗共赏的文学体裁,笔记在中国具有悠久的传统。它始自魏晋,盛行于宋代。南朝刘义庆的《世说新语》,北宋沈括的《梦溪笔谈》,南宋陆游的《老学庵笔记》,明朝张岱的《陶庵梦忆》,清朝纪昀的《阅微草堂笔记》以及20世纪30年代初丰子恺的《缘缘堂随笔》,都是文学史上的奇葩。然而,近年来笔记乏人问津。因此,我们出这一套书,也包含着挽回颓势之意。

全国三十二所文史研究馆拥有雄厚的稿源,两千多位馆员和各馆联系的社会人士,都是丛书的撰稿人。他们都是文史界的耆宿,见多识广,阅历丰富:有的反对过帝制,有的在“五四”运动中扛过大旗,他们目睹过军阀的横行霸道,也经历过艰苦卓绝的八年抗战。这些历尽沧桑的饱学之士,他们的所见所闻,都是弥足珍贵的史料。

本丛书分辑出版，分别由各地文史研究馆编辑，内容亦以本乡本土为主。因此，各册势必具有浓厚的地方色彩。

本着笔记固有的传统，所收各文题材不嫌庞杂。举凡与文史有关的政治、经济、军事、文化、社会等方面，或记闻见杂事，或叙往昔交游，或忆社会百态，均在搜罗之列。时间跨度则自清末以迄1949年为止。这正是中华民族从闭关自守到走向世界，从落后羸弱到奋发图强，是天翻地覆、风起云涌的大半个世纪。其间，发生过多少可歌可泣的事迹，涌现过多少杰出的人物。以这一时间跨度为背景题材写出的笔记作品，必然是内容最为丰厚的。

在选稿标准上，我们坚持史料一定要真，内容要新；既要防止以讹传讹，也力避炒冷饭。在写法上务求短小精悍、生动活泼。每篇以千字为度，希望借此在文风方面，提倡一下简约。在版式上，则想做到既利于阅读，又便于携带。

恳切希望文史界方家及广大读者，不吝赐正。

“太原王”的宗祠

王剑霓

近年来，海外王氏社团常有人来太原寻根谒祖。为弘扬民族文化，促进中外文化交流，1992年，省、市政府在晋祠修建了王氏祖堂子乔祠。原来，晋祠奉祀着晋国开国诸侯唐叔虞，圣母殿即祀奉叔虞母邑姜之所，晋祠俨然周王家祠。嫡系周灵王太子晋王子乔侍飨于此，而太子晋是太原王氏开族立姓始祖，修建王氏祖堂子乔祠别具意义。

太原王氏登上政治舞台的早期人物是三国时魏司空王昶，隋代尚奇节的并州总管王韶，皆晋阳人,也都有王氏家庙。现在修建的子乔祠是明代时太原王氏祖堂——晋溪园溪翁堂。

晋溪园是王琼的别墅。王琼曾任明正德、嘉靖时户部、兵部、吏部尚书,治理漕河、平定“宸濠之乱”,以敏练著称,史称明代重臣。嘉靖四年(1525)春至五年冬,王琼之子朝立在晋祠建晋溪园,供他养老。晋溪园建成时,王琼好友吏部尚书乔宇为园正厅书额“溪翁堂”,王琼在堂中奉祀子乔公和王氏列祖,课子于内。王琼死后,晋溪园改为晋溪书院, 作为培养后学之所。嘉靖中,园后建王琼祠,溪翁堂后壁辟门通祠,祖像因而请于此。王琼祠,额“山高水长”,额右上篆“太原王氏”章。1988 年,重修王琼祠。1992 年,重修晋溪书院,溪翁堂内再奉祀起子乔公塑像。

李用清与《大荒记》

昔阳县志办公室

李用清,字澄斋,号菊圃。山西平定州乐平乡(今昔阳县杜庄村)人,生于道光九年(1829),卒于光绪二十四年(1898)。公励志文行,不泥章句。七岁读书,十六岁补诸生。同治四年(1865)成进士,选翰林院庶吉士,七年(1868)授翰林院编修,十年(1871)补国史馆纂修、寻署总纂。

光绪三年(1877),适逢山西连续三年大祲。

李用清受命随办山西赈务。两年间，亲冒寒暑，周历全省。每到一州县，勘灾外必考其利弊及粮路源委，日必驰函于当事，备述其详，积成卷帙，垂涕撰写《大荒记》十条。开门见山，言简意赅，读后回味无穷，感人肺腑。

由于灾区生活很穷，加之心力兼劳，致患痢疾终成病根。光绪五年赈务竣。八年到九年先后升贵州按察使、布政使。十年署理贵州巡抚。十四年(1888)九月，从署理陕西布政使任上引疾归里。十五年后主讲晋阳书院。二十四年(1898)杂病迭见，痢疾大发，卒于晋阳书院。

为避免《大荒记》淹没于世，所记十条摘录成九条如下：

一、食人肉之惨也。三年八九月间，饥民多掘根、剥榆皮而食，久而面肿，肿消则死。亦有搏白土干泥(俗称之观音粉)而食者，肠断肚裂，情状尤惨。十冬腊月，有割死尸食之。腊月间，出现食生人矣。四年正二月，饥民急，至抱人头而生食之。

二、拆毁房屋之惨也。大房屋无从出售，则拆毁而零卖之，栋梁大材无从出卖，则截为薪而零卖之。三年冬季，制钱一文可得薪四五斤。四年冬，则制钱四五文只得一斤，盖已拆无可拆，通都大邑窥户无人，鞠为茂草。芮城宋吕村一千三百余户只留二百余户。新庄百余家只留一户。武乡城内，买房一间只钱三百。平阳府城内，深夜只闻拆屋之声与哭泣之声。

三、流离之惨也。三年七八月间壮者多散之四方。冬春之交，已逃无可逃。黄河船家，满载妇女运往下游，偶染疾病，水手将衣服剥去，生投水中，此水路流离之惨也。其逃自河南者，又有挑捎名目，驱数百妇女，执长鞭而驱之若牛羊，然此陆路流离之惨也。

四、死亡之惨也。汾西十二万人只余二万。霍州二十一万人只余六万。安邑二十六万人亦只余六万。此虽约略之词，大致亦不差。芮城环城数十里绝少居民，城内集镇十人九穿孝(此犹四年秋后光景，春夏亦无从穿也)。沁源、垣曲秋禾已种，比及收获人已尽死。夏县人有备牲畜往垣曲收无主之禾者。大约四年春夏月，贫民求糊口而不得，比及秋月，又欲求觅雇工而无从。平定、阳城、隰州多以铁炉为业，今则工匠俱无，言之痛心。

五、查户口之难也。初造册分极次贫，既而极贫既死，次贫降为极贫，既而小康之家又降为次贫，久且极次等没，无从分辨，溥例赈之。曲沃等处，率饥民十余万，地方官无从造册，率为武断，每百人中挑取数十名，比及领赈而归，又按人均分。册上之饥民有数，册外之饿莩难稽，屡去屡添，犹如流水，大约今日册上所载，类皆死者姓名也。

六、转运之难也。三年冬，驼车两运。四年春夏之交，驼既归山，专恃车运。大车雨阻，改用手车；手车不足，兼雇挑夫。大约冬春之交，苦无用费，自夏徂秋，虽有运费，亦难措手，即如河南巩县之铁邪一局，距平陆县茅津渡只三百余里，官运难行，改为民运，而官给脚费。虞乡等县，脚费皆领巨万。四年冬，汾州之永宁、临县、乡宁，春月分拨赈粮，八月尚未运到。而陕西韩城县之赈粮，三年八月初四在河南陕州之会兴镇装船，四年正月十三日始运到永济县之小里镇，比至韩城，春秋已近。

七、粥场之难设也。通都大邑偶设粥场，则数百里饥民争赴。男女杂沓，既伤风化，夜宿郊衢，尤虞风霜。甚至生者死者互相枕藉，积尸数尺，盈年而后载之，比及遣散，薄给资斧，能至家者百无一二。三年冬设粥场于省垣，来者不拒，春月遣散，死亡塞路。

八、散籽种之难也。秋月种麦时，各州县率领银三四千两分给贫民自购籽种，无如麦种稀少分给之，初每亩给银三钱，约可购籽种三升，越数日仅购一升，仅购数合。灵石董令专给无主之地，衰懦者自家所有之地尚未能全耕，何暇舍己芸人。

九、粮价之涨落无定也。黄河一带口岸，如保德、碛口之类，粮价倏涨倏落在十余两之谱，今日米船来无人能买，则顿落十余两；明日米船不来，则又潮涨十余两。譬诸极虚之症，脉势乍大乍小，米粟银钱两无来源故也。

张之洞与李提摩太之交往

涂士瑚

1882—1884 年张之洞任山西巡抚期间，与英国传教士李提摩太有过密切的交往。李在清末有个颇使人发笑的显赫头衔，就是宣统三年刻在《山西大学堂西学专斋教职员题名碑》上的"钦赐头品顶戴、二等双龙宝星、三代正一品封典、英国道学博士、文学翰林、西斋总理李提摩太"。原来张之洞上任后曾查阅了存档，发现李有给前任巡抚曾国荃的条陈，建议修铁路、开矿产、办学堂。张阅后大感兴趣，立刻就派了三位官员去邀请李氏，请求他放弃教会工作，来担任他的顾问官，负责贯彻李提出的那些建议。李推辞说自己不是科技专家，必须增聘更多的专家，才能实施他的条陈。同时他认为来华传教的任务更重要，婉言谢绝了张的聘请。

张之洞鉴于汾河水堤不足以防御特大洪水，又请李代为测量省城西南两面的地形，以便筑好防洪堤坝。李和太原东夹巷医院院长缅菲尔用水准仪，在城西南两面进行了仔细的测量，并绘了图，照了像，提出防止洪水的办法。张于是派阳曲县知事锡良(1853—1917，此人后任过山西巡抚) 督率大批民工修筑了坚固的防洪大坝,使太原后来竟免于水患,为太原市民做了一件好事。

后来李氏应张之洞的请求，为山西购买外国采矿设备,为他弄到一份估价单。但直至张之洞 1889 年调任湖广总督时,才实行了李氏在山西提出的那些建议。当时张又提旧话,请李放弃上海广学会总办职位,来出任他的顾问官,李又一次婉言谢绝了。

1890 年 7 月李氏应李鸿章和友人之约来天津担任了英文《时报》主笔,经常在报上发表他对中国改革的社论,后来由上海广学会以《时事新论》为题,译印为单行本,张之洞这时已是两江总督了，读到后立电李氏，请他按期寄送该报,成为该报的长期订阅户。《时事新论》卷四介绍了山西矿产,云:“煤炭之利与菽粟同功,——山西矿产棋布星罗,——且矿苗平衍,不必钩沉索隐——倘开铁路火车以转运,——山西将成一小英吉利矣。所惜者弃而不开采耳。”实际仍是他给曾国荃条陈原意。

由李口译经华人润饰之《泰西新史揽要》一书是本之于英人罗伯特·马恳西(Robert Mackenzie)《十九世纪史》。1895 年(光绪二十一年)此书样本一出,时值甲午海战败绩之后,中国上自光绪帝,下至官绅士庶无不争相购阅。李分赠当时北洋大臣李鸿章与南洋大臣张之洞,张立即捐赠广学会银一千两。他先后共捐赠该会银六千两之巨。李赞扬张为洋务派中之最杰出

者,张亦称许李为洋人中之识大体者。时张李之交往已达十二年之久,相互尊重,久而不忘,推诚相见,亲密无间。

山西大学堂与争矿运动

冀贡泉

1905年,山西大学堂已开办三年,曾经派遣了两批留日学生。出去留学的人士接受了新的潮流,不少人参加了同盟会。学成归国的东京一高的景定成,是学界所仰慕的先进青年。速成法政的梁善济曾任职于"令德堂",是个翰林。他二人回太原去见巡抚。当时正太铁路已经修到了阳泉,英国福公司以英商名义来到平定山中勘探矿源,以前本地开矿的企业家感到威胁。同时山西大学堂的建立,原来就带有华洋斗争的性质。孙中山先生在日本东京组成的同盟会已揭发了不少清政府丧权卖国的事件,争矿运动就这样发动起来了。

这项运动是山西最早的群众运动,是以游行和开大会的形式出现的。

趁商务局的绅商们和官员们正在海子边宴请英代表之际,以山西大学堂为首的太原学生数千人,结队赴海子边示威,抗议商务局和英国福公司的勾结。示威游行一直到了巡抚衙

门,派代表见了巡抚,向他们请愿:废弃商务局和福公司订的合同。巡抚答应向北京启奏力争。当学生队伍示威游行到了商务局门前时,正值官绅宴请英国人的宴会开始,数千名学生大张声势一拥而进。当时距义和团运动不久,英国代表还有余惧心理,一见情势不妙,便钻到桌子下避难。后来人们戏言:这是福公司滚出山西的先兆。

虎啸沟与山西大学

师道刚

1941 年 10 月底流亡在陕西三原的山西大学,由于三青团和阎锡山派系的摩擦,演变为学潮,又不得不由三原迁至宜川秋林镇北二里处的虎啸沟复课。秋林镇是抗战时期山西省政府驻地,是横亘陕西西北部黄龙山的余脉。虎啸沟长五六里,东西两侧建有土窑洞数十孔,洞内支有坚实可靠的木架,每孔可住十人。除省立第一儿童教养院占用二十余孔和山西科学馆占用十余孔外,其余全部归山西大学使用。

1943 年 4 月国民政府教育部长陈立夫下令将山西大学改为国立,经费由教育部拨发,并请山西省政府主席赵戴文推荐校长人选。赵推荐前任教育厅厅长王怀明为校长。王有军政职务

许多头衔，无法分身到校，所以实际上校务仍由徐士瑚代理。1944年8月被阎锡山软禁一年多的中共地下党员杜任之由徐士瑚聘请到校任训导长，兼阎组织的同志会校分会副主席特派员。同时还成立了学生会和同志会的外围学术团体“物劳学会”，出版《虎啸》刊物，宣传阎锡山的“物产证券、按劳分配”学说。这时的山大国民党和三青团则转入不公开的活动。

山西大学在虎啸沟一直坚持到1945年8月15日日本宣布无条件投降。10月间学校奉令迁返太原。

姚以价脱险记

姚文蔚

姚以价(维藩)，河津人，1881年生，出身微寒，七岁父母双亡，由叔父抚养。1902年考入山西武备学堂，1904年保送日本留学，为陆军士官学校第六期生。1909年毕业回国，参加陆军部举办的会试，考列上等，赏陆军步兵科举人，授协军校军衔，1910年任新军管带。1911年10月29日，军内同盟会员起义，公推姚为起义军总司令。姚率军攻入城内，打死巡抚陆钟琦。12月，清军攻占娘子关，姚赴天津，辗转到赣，在李烈钧部任参谋长。后到云南，助蔡锷讨袁。1924年直奉战争及 1930 年中原大战中，姚曾在韩复榘、石友三部从事反阎活动。

民国十九年(1930)我在河南偃师县当县长。约在 6 月间，忽见报载《姚以价将军被石友三扣解北平》。当时，阎(锡山)汪(精卫)在北平当权，姚与阎结有深仇，送到北平，结果总不会好，我心焦如焚，赶紧资遣王梓琴赴平探听消息，设法营救。不久，又听姚将军已安全抵济南的喜讯，两个消息吉凶莫测。事后以价公亲自对我讲了当时脱险的情况：

阎冯倒蒋事起，石友三拥兵数万，盘踞黄河北岸，态度不明，姚单人独马，去劝说石友三与韩(复榘)合作反阎，进兵山西，消灭阎氏，以占据华北，与冯玉祥合力抗蒋。谁料石友三卖友求荣，居心叵测，把姚镣禁，专车解平。姚自忖与阎势不两立，宁死不愿见阎，深夜，车渡漳河桥，奋力跳下火车，意欲投河自尽。但跳下时，车已过桥，姚昏绝倒地，镣索摔断(据姚说：押解卫兵因石友三多行不义，故意把姚的铁镣截断，以绳系之，必要时可以给姚解脱)。片时，姚以价苏醒，辨明方向，朝着星斗直往东北方向奔跑，行至一小村庄，群犬拦路狂吠，姚折枝击退。

姚见村边有一人家柴扉半掩，推门进屋，惊醒了老妪。老妪高呼“有贼”，他说：“非也！”遂令老妪燃灯照亮。妪见姚满脸血迹，吓得合掌连呼“天神”、“关老爷”。姚佯称被匪绑票脱逃者，妪怜之。煮粥相待，并为之寻换黑布夹衣。黎明，妪

扬言有远亲来，跑到距村二、三里的街镇雇轿车，为姚送行。姚晚宿车夫家，家中少妇对其丈夫(车夫)暗中嘱托："客人镶金牙，相貌魁梧，必系大官，无须索要脚价，自有好处。"且款待甚殷。翌日行至中途，姚问车夫："萍水相逢，尔对他乡之客，为甚如此之好?"车夫即告以上述少妇嘱托云云。

晓行夜宿，三四天后，抵达山东省管辖之齐河县，遇韩复榘的驻军，姚借白洋一百元，半给车夫，另一半让车夫务必亲送老妪，权当韩信报漂母耳，酒饭相待，彼此依依。姚到济南后，托韩分电阎(锡山)石(友三)曰："姚将军已安抵济南矣，枉费心机，至为感谢。"

此我所深知之实事也，笔而书之，以志鳞爪。

傅作义固守涿州

王振洲

我长兄王振恩，在清末入山西陆军小学，与傅作义同学，并一起参加辛亥革命。后均被阎保送到保定军官学校深造，毕业后，傅与家兄又回到山西，傅由排、连、营长直升到团长。1926年，冯玉祥出兵雁北，进取山西。傅作义奉令固守天镇，由于勇敢善战，固守三月，夏季解围，从此扬名。

1926年秋，正是阎锡山大肆扩军的时期，擢升傅作义为旅长、师长。其时国共合作，北伐军节节胜利。阎锡山附蒋讨奉，派晋军分三路出兵北京，向张作霖残部进攻。以傅作义的新编第四师，编为"奇袭军"，经应县、广灵、蔚县、涞水，占领涿州城，以卡住奉军南下咽喉。傅作义率他的新编第四师，于1927年农历八月间，在蔚县集中，徒步沿涞水、易县辖境，向涿州城进发，于1927年农历九月十五日占领了涿州城。涿州首当京汉要冲，与奉军兵力雄厚的保定，近在咫尺。奉军的张学良、万福麟对此极为震惊，立即派飞机侦查，并且投下炸弹。接着奉军又以步兵、炮兵，集中火力攻夺涿州城，而傅军早已做好守城准备，城内外阵地屹然不动，只是死伤平民日增。涿州距北京甚近，引起中外人士关注，北京的新闻报纸无不以头条消息登载涿州战况。时报界人士，以张独裁，对张恶感甚多，字里行间流露扬傅抑张之意，更加激起奉军张学良、万福麟之怒，乃用大炮向城内发射"烧夷弹"、"毒气弹"，这更引起北洋大老王士珍一帮绅士的注意。遂由王士珍领衔，联络傅作义的好友同学，以"红十字会"的名义来和傅作义讲和。此时，奉军因攻打涿州不下，好像一把钢刀插在心中一样；而傅军也因困守孤城粮将尽而弹已绝，且平民伤亡惨重，遂答应了讲和。双方经过有外籍记者参加的多次协商，最后签订了讲和条件。大意有四条：一、和平解决战事，不是晋军败了，

奉军胜了;二、傅愿改编成国防军,既不是晋军,也不叫奉军;三、官兵由奉军发给三个月的饷,全部开往通州听候整编;四、傅作义本人去保定见张学良商议整编事宜。条件签订后,涿州遂于农历十二月十四日开城。这城由封门到开门整整三个月,大小战斗四五十次,傅作义在作战中受伤,出城时臂包纱布。当其参加由张学良主持的欢迎会时,中外记者无不摄影报道,一时声赫中外,成为守城名将。

民初太原满族名士

吴据德

辛亥革命爆发时,太原满族人有的吓跑了。但逃跑者与没逃者相比,尚属少数。原来太原辛亥起义时,革命军与新满城八旗部队的军人早有联系,首义城门(时称新南门)是在旗籍军人的协助下被顺利打开的。另外,八旗部队在太原辛亥起义时经过一阵子抵抗后,全部投降。因那时太原同盟会员、革命党人,奉行“五族平等”、“五族共和”的政策,故革命成功后,留在城内的满族人并没有无辜被杀的。特别有才华的人,被民国政府留用,成为当时太原满族人中的一代名士。如:增禧,字雨亭,别号石屏散人,籍正蓝旗,原以名中“增”字为姓,子孙沿之不改,生于1882

年。增禧早年留学日本，毕业于早稻田大学生物系，回太原后，任城守尉，直属山西巡抚节制。1911 年农历九月初七日晚，革命军起义，攻击新满洲城时，增禧率部死力抵抗，后战况不利，树起白旗，宣布投降。民国初年，他誓不为官，在太原第一中学任生物、图画教师，直至抗日战争爆发。增禧喜爱钻研中医，医术高明，善治伤寒，曾治好许多病危患者，为人称颂。他在一中执教期间，业余多为人医病和作画。1929 年间，他曾画过一幅一只猴子戴着一顶官帽的画，画面上亲题打油诗，辛辣地讽刺了当时的官场风气。

日军侵入太原前，增禧随太原一中退到祁县贾令镇。日军占领太原后，派人把他和家眷从祁县接回太原，软缠硬磨委他担任伪山西公署教育厅厅长，他坚决不干。增禧晚年在日伪统治下的太原主要以民间行医来维持一家人的生活，保持了他高尚的民族气节。有一次一个日本军官骑着战马到他家，邀增禧给自己作画，增禧婉言谢绝。1944 年，增禧病故，享年六十二岁。增禧生前的书画作品大都在日军侵占太原时丢失。

杨玉山，字如圭，生辰不详，正蓝旗人，兄弟五人，排行第三。杨玉山自幼家境贫苦，忠厚好学，酷爱武术，是形意拳大师穆修易的得意门生。1918 年前后，杨去法国“勤工俭学”，专攻毛纺织业，学成后于 1925 年回国。时山西无毛纺

织业,阎锡山感到无合适工作分配于杨,就先让他充任手掷弹营营长。旋航空学校成立,调他担任校长。杨尽职尽责,为培养山西首批飞机驾驶人才、为发展山西的航空事业,做出了贡献。

1928年,杨玉山被调任北平清河织呢厂厂长。不久山西成立西北实业公司,建办太原毛织厂,阎锡山调杨任该厂厂长。时杨体态肥胖,体重一百多公斤,人们多呼他"杨胖子"。杨为人憨厚,和气近人,深为职工喜爱。

1937年日军进攻太原前,杨玉山随西北实业公司迁往西安,数月后又赴兰州避难。日久,杨生活困难,在兰州建一小型毛织厂,借以度日。解放后,杨受任四川毛织厂工程师,晚年因病退职回到太原。

阿万春,正蓝旗人,生辰不详,是清末民初年间太原有名的民间书法家、画家、音乐家。辛亥革命前阿万春曾开过武功房,教人练功。每逢闲暇,他家就聚满一群中青年人,吹拉弹唱,写字作画。阿万春还精通做烟火、扎旱船等技艺,每年正月里,他都携着自制的烟火、旱船等,带领一帮人在太原城里闹红火。阿万春于新满城燃放的烟火在太原最有名气。阿万春还会裁剪衣服,但自己却不善修饰。他性格活泼,心地善良,乐于助人,尤其喜爱青年。他生前任新满城的街长十几年,颇受邻里爱戴。1934年不幸病故。

我看见的一次黄河清

张书斋

民国三十六年(1947)农历六月二十五至二十七日三天，陕西韩城地段的黄河浑水变得清澈如镜，当地昝村镇、丁庄村、坡底等村男女老幼，成群结伙同去观看，如同赶庙会一般热闹。当时笔者住陕西省韩城县昝村镇下庄村，听到这个奇事，偕同下庄村薛路娃、薛孝义和稷山县西店头村石匠荆培南、贾三卯等人前往观看，果属实事。连去观看三日，到第四日，清水又变成了浑水。

据杨怀丰提供的 1931 年 10 月 7 日的《阎锡山日记》有关于黄河变干的记载："闻有河清之说，未闻有河干之说。吉县知事阎桂芬谒谈：民国十八年冬至左近，吉县龙王辿一带有数十里长一段，午间忽干一小时；又十九年，约有数十里长一段，忽澄清数小时。民国六年曾有河清之事。"

毛泽东关心刘少白

刘南君　张　友　肖麦林

1947年元月，晋绥分局一个负责人在党校讲话，指名道姓地说，“刘少白是假开明，是地主阶级的代理人”，“刘少白献地是为了收买群众”，如此等等，导致了对刘少白的错批错斗并撤销其临时参议会副议长之职。

毛主席看到《晋绥日报》有关斗争刘少白的报告后，非常生气，立即指示晋绥分局派人到陕北米脂县杨家沟。毛主席对晋绥分局派来的同志说：“你们犯了错误，不该斗刘少白先生，回去赶快纠正。”在党中央和毛主席的关怀下，刘少白恢复了临时参议会副议长的职务。

1948年9月，少白应召到河北省平山县参加华北各界代表会议。9月15日，少白给毛主席写了一封信，回忆了自己三次到延安受到毛主席亲切关怀的情景，信中说："忆昔三赴延安，备承渥待，前岁临行，特邀饯叙。所感者门前分手，雨中候车，轮蹄已辗，犹见瞩望，一别重秋，永志难忘。所自愧风烛残年，浩劫余生，辱蒙伟注，死生赖之，而桑榆已晚，能效几时?……"在信中他汇报了思想情况，陈述了对晋绥土改中一些问题的看法。10月30日，毛主席在百忙中复函：

少白同志：

九月十五大示读悉。我们的工作是有错误的。好在现已一般地纠正，并正在纠正中，正如你在五事中第二项所说那样。情形既已明白，则事情好办，你也就可以安心了。大函已转付彭真同志。党籍一事，请与彭真同志商酌。

敬颂大安！

毛泽东　十月三十日

党的关怀与爱护如春风化雨温暖了少白老人，他心潮澎湃，激动不已，11月3日给毛主席写了复信：

敬爱的毛主席同志：

我前次给你写的那封信，在此两三个月的读书及其他领悟中，觉得我那封信是有些孟浪了！那就是直率陈情，而未顾及全面；也就是偏于自我意识，而忽视社会的存在。在十月三十日接读了你的手复，在短短的数语中已经概括了全面问题，并给了我个人的安慰！这封手复的信件，就我的历史观点看，是一件无比荣幸的珍品。

我又和彭真同志及安子文同志谈话，对于党的认识与夫阶级观点，也进了一步。这样我的问题，就自信为解决了；那就撇开往事，力追后尘。

正如古人所谓：行百里者，半九十，晚节未竟之难我之谓也！谨此再达，借以告慰，敬祝健康！

刘少白恭启

一九四八年十一月三日于建平南庄上

此信毛主席阅后，批转刘少奇、朱德、周恩来同志传阅而后存档。

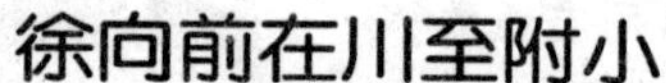

徐向前在川至附小

李木子

徐向前原名徐象谦。1922年从山西省立国民师范毕业后，经人介绍，来到五台县河边村(今属定襄)川至中学附小担任国文教师。

当时曾作过徐向前学生的曲隆奇老人回忆说：徐先生年轻英俊，对学生既和蔼，又严肃，平时常给学生讲述古代英雄人物的爱国事迹，尤其常用越王句践“卧薪尝胆，奋发图强”和少年将军霍去病“匈奴未灭，何以家为”的故事，勉励学生勤学苦读，立志报国。课堂上徐先生还给学生选讲一些课本外的生动活泼的短诗文，要求学生理解背熟。一次，徐先生叫曲隆奇背诗文，他贪玩没背会，徐先生很生气，让他伸出左手，敲了两手板，当他背熟后，徐先生摸着他的头亲切地说：“一寸光阴一寸金，寸金难买寸光阴。你们为了华夏民族的富强和自由奋斗，就该珍惜时间，用功读书，这样才对得起炎黄祖先。”

川至学校是山西督军阎锡山投资兴办的，当时学校看门差人曲斋根，与阎锡山自幼相交，过往甚密，他便依仗阎府权势，在校为所欲为，连校长也得敬畏他三分。一天，徐先生的父亲从五台永安村来看望儿子，被曲斋根无理拒在门外，老人家好话说了多少遍，也不准进门。徐先生闻讯，赶到校门口，将老父亲领回宿舍后，便来责问曲斋根为什么这样不近人情。曲斋根非但不认错，反而辱骂徐先生：“你小小一个附小先生，有什么了不起！我在阎府做事多年，谁不给留个面子？不让你父亲进门，你敢把我怎么样……”正直刚毅、嫉恶如仇的徐先生越听越气，觉得曲斋根狗仗人势，欺人太甚，照脸就掴了他一耳光。平素装腔作势猖狂惯了的曲斋根恼羞成怒，跑至阎锡山父亲那儿，添油加醋告了一状。惧怕权贵的校长王庚申即传徐先生谈话，说徐先生目无上司，逼其给曲斋根赔礼。徐先生

看到在这里只能逆来顺受，而无法施展教育救国的理想，遂愤然辞职。

当时南方大革命如火如荼，广州正创办黄埔军校，徐先生满怀一腔爱国热情，即偕老同学孔召林南下，成为黄埔军校第一期学员，在周恩来、张太雷等影响下，从此走上了革命道路，并将象谦更名为向前。

续范亭对晋西北士绅延安参观团一席谈

刘静山

1942年，晋西北士绅延安参观团在延安期间，受到晋西北贺龙将军、林枫书记等领导同志的接见。刘菊初先生是参观团成员，曾笔记了此事。当时贺龙同志强调大公无私，希望成员们回去，注重农业、工业、水利、麻棉等生产建设；林枫同志着重讲：此时期相信共产党，还须学习，而且要有个过程，如有不同意见，可以互相商量。对政府的批评是好现象，不管对不对，都是为了搞好工作，批评是善意的。

续范亭同志当时为晋西北行署主任，适在延安养病，参观团晋谒，谈顷，他引古语“白刃砍胸前，流矢看不见；利剑加头腭，十指不惜断。”又说：古往今来，事有必至，理有固然，过去官是父母，百姓为子民，现在人民是主人翁了。毛主席提出二十二个整风文件，不但可以纠正共产党之错误，而且可以纠正党外唯心主义之错误。又吟诵了他曾拜之为师的佛教大禅师印光和尚诗：“闻到金人声势大，紫阳宫内泪横秋；日军进入姑苏寺，不识印光愁不愁”(前两句为颜习斋讽朱熹诗)。又引孔子语“惟仁者能好人，能恶人”说：“若一味好而不恶，则为乡愿。‘又君子喻于义，小人喻于利’，利之大者，即是义；义之小者，成为利。孟子言性善，荀子言性恶，我则谓善恶由习惯而来。”

华侨女杰李林

孟允中

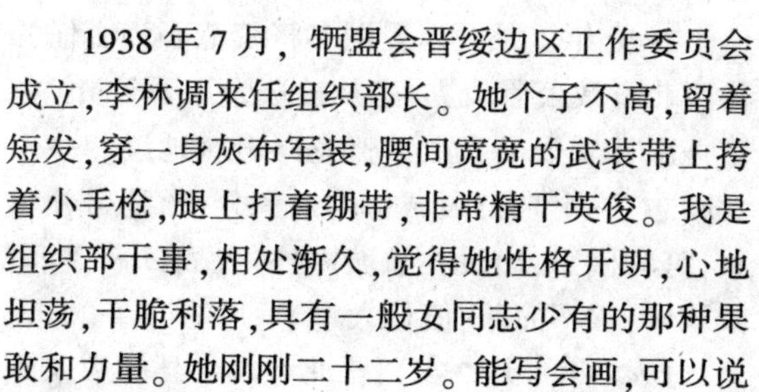

1938 年 7 月，牺盟会晋绥边区工作委员会成立，李林调来任组织部长。她个子不高，留着短发，穿一身灰布军装，腰间宽宽的武装带上挎着小手枪，腿上打着绷带，非常精干英俊。我是组织部干事，相处渐久，觉得她性格开朗，心地坦荡，干脆利落，具有一般女同志少有的那种果敢和力量。她刚刚二十二岁。能写会画，可以说是文武双全，才智出众。

李林一直随侨居爪哇经商的父母生活，1930 年十四岁的李林，随母回国，考入集美中学,1935 年转往上海爱国女子中学。“一二·九”运动爆发后，她参加和领导了上海爱国女校的示威游行。1936 年考入北平民国大学经济系,同年 12 月加入中国共产党。随即告别学生生涯，响应中共北平市委号召，来到当时已是国防前线的山西，在牺盟会举办的军政训练班接受军事训练。芦沟桥事变爆发后，她奔赴抗战最前线，担任大同牺盟会中心区宣传委员和中共雁北工委的宣传委员，同雁北工委书记阎秀峰等同志一起领导雁北十三县的抗日救亡运动。后又担任雁北抗日第八支队政委，负责发展游击队的工作。

她发挥卓越的军事才能和异常的胆略,以田成村夺马,麦胡图破敌,偏关城锄奸,夜击红沙坝，奇袭岱岳镇及粉碎敌人第七次扫荡等战功名扬解放区，成为晋绥边区传奇式的巾帼英雄。

1940 年 1 月，以爱国名将续范亭为主任的晋西北行政公署成立,李林被选为行署委员。在第一次行署委员会上，贺龙同志对她说:“一个女同志,一个来自大城市的知识分子,能带领骑兵,跨马横刀,出没在长城内外,大战日寇,打出威风来,很不简单,值得大家学习。”

1942 年 4 月 25 日,雁北十几个县的敌人倾巢出动,拼凑万余兵力,向我雁北根据地层层包围,分进合击,发动了第九次大“扫荡”。

当夜,地委、行署机关从平鲁吴辛寨村转移

到乱道沟村,召开了紧急会议,决定由主力三营作前卫开路,由李林率部作后卫,掩护机关向平鲁方向突围。

连番苦战,李林甩开了追击包围的敌人,要继续向东南的屯港、大坪方向冲出去,完全可以突围;可是她听到东平太村方向枪炮声很紧,担心机关人员还在包围中,便毫不犹豫地调转马头,带骑兵向西边山上冲去,从敌人背后开了火。

李林估计机关人员已经突围转移,招呼骑兵向东转移,可是敌人已形成对她新的包围,突围撤退都很困难了。

李林和仅有的两名战士边战边撤,在冲向小郭家窑村的荫凉山途中,两名战士中弹牺牲,战马也受伤。李林一人抢占了山顶的小庙,凭借小庙的围墙,一手拿驳壳枪,一手拿小八音手枪,忍受着伤口剧痛,一直抵抗了两个小时,打死了五六名敌人。

敌人从四面包围上来,李林用最后一粒子弹打进自己的头部,壮烈殉国。时年仅二十四岁。

至孝的薛笃弼违亲不纳妾

薛淑俭

先父薛笃弼，字子良，山西运城人。生于1890年，1973年夏初谢世，享年八十三岁。

他二十一岁毕业于山西省立法政专门学校时就与同学傅作义等在河东参加辛亥起义。初任平阳府地方审判庭庭长等公职，旋赴日留学，亲聆孙中山先生教诲。回国后一直追随冯玉祥先生。北京政府时代先后任司法部次长、崇文门税务监督、京兆尹等要职。蒋冯合作时，又在南京政府历任内政部、卫生部、水利部部长。我小时看到父亲枕边常放置《人镜》、《人格》之类的箴言式的书籍，就问他公事这么忙，为什么还看这些书。父亲回答说，自己从二十多岁就带“长”字头，三十岁左右就是特任官，若有缺点，下属哪个敢提意见，只有加强道德和为人处事修养，才可以时时对照，提高鉴别是非的能力，不做错事。

父亲没有官架子，一向与部下同甘共苦，平等相待。我在南京就读的小学位于内政部对面，父亲要我清晨上课前到部里学打太极拳，父亲也同属员们一起操练。中午我总是步行回家吃饭。若遇雨天，就到内政部食堂用膳，父亲同下

属职员同桌吃饭，一样的饭菜。家里的陈设也很简单，家具都是借用部里的，我晚上就睡在一张行军床上。无论在北京或南京，居何要职，乘坐的都是旧汽车，并且从不允许家属乘坐。我随母亲外出购物，不是步行就是乘人力车。

父亲非常孝顺父母，可谓至孝，但有一件事始终没有依从祖父的意思。父亲膝下只有我们三姐妹，祖父是前清举人，不免受封建观念的影响，他常对父亲说："像你这样的地位，人家几个都娶了，你没有儿子，为什么不另娶一个传宗接代？"祖父为父亲物色了一位女护士，强令父亲纳妾，但父亲始终不肯。

1949 年 3 月间，李宗仁曾专程到上海马斯南路我家来看我父亲，邀他出任行政院副院长，父亲以厌倦政务为由固辞。不久南京解放，上海告急，国民党要员纷纷撤离，陈诚曾亲来我家请父亲携眷赴台，父亲以侍奉双亲为托，婉言谢绝。

赵戴文墓碑警诫阎锡山

翟品三

一生忠心耿耿辅翼阎锡山的赵戴文，1943 年 12 月 27 日逝世前曾遗言，要求在他墓碑上只刻"中国国民党党员赵戴文之墓"十二字。当时正是阎锡山高喊“肃清伪装，净白阵营”之际，所谓“伪装”不仅指共产党，还包括国民党的“军统”、“中统”和“三青团”。时赵任山西省政府主席、阎的民族革命同志会副会长，这样题字其用意何在，实堪玩味。

抗战期间，阎锡山一直实行“抗日要准备联日”的策略，1939年“十二月事变”后，在日本帝国主义的诱降下，联日活动更加积极，经过和日酋“白壁关”(孝义县)两次“合作”会谈，发展到1941年3月的“汾阳协定”，可谓登峰造极。主要内容是日方给予阎方大量的武器、弹药、装备，并补充壮丁，充实阎的反共力量；阎通电脱离重庆政府，发表“独立宣言”，阎本人先驻孝义，接收日方政权，逐步进驻太原、北京，按形势需要，或组织“华北国”，或和南京汪精卫合作，任伪政府副主席兼伪军事委员会副主席。双方都弄乖卖巧，要求对方首先履行。1942年4月日方给阎送了“觉书”，并派飞机在吉县克难坡上空投炸弹，逼阎就范。

阎锡山和日本妥协投降，原是秘密进行，后来消息渐露，内部舆论哗然，一些干部向赵戴文提出反对意见，赵表示：“我向来一切都服从他，这件事不能再和他含糊了。”于是见阎询问：“外传与日妥协，这件事到底有没有？如果有，大家是反对的。”阎问：“你的意见怎样?”赵答：“我也反对。”阎竟大动肝火说：“山西的事，只有我配作主张。你和大家都不对，也不配乱发主张！”赵见阎如此，只得流泪而退，曾一度称病绝食。

日阎勾结，发展到日方非要阎亲自出面谈判不可，因而有 1942 年 5 月 6 日的“安平会议”。会上日方要求阎早日发通电公布独立宣言；阎要求日方按“汾阳协定”承诺的一次付与。尔虞我诈，陷入僵局，阎乘休会之机从小路逃走，会议无结果而散。但以后阎仍通过太原、临汾、汾阳的办事处，和日方联系，并派文武干部到日方机构，为他降日作先导。

赵戴文病危时，阎锡山曾探视。赵略语家事外，特嘱阎：“以后无论局势如何变化，希望你不要走汪精卫的道路。”阎答：“我有我的主张，我为了存在，利用他们，绝不会走他们的道路。”赵虽说：“那我就放心了！”但终有点嘀咕，所以遗言在墓碑上题那样的字。其意曾向省政府秘书长宁超武说过：“所有官职都是别人给我的，予夺在人，都不足为贵，只有国民党员是我自己选择的，是我一生事业的开端，去取在我，是真正属于我自己的。”这话实有言外之音，就是曲折地警诫阎：日本人对你的那些承诺，并不可贵，照自己原来靠近同盟会（国民党前身）“驱除鞑虏，恢复中华”的精神，抗日到底，表现民族气节，才是自己事业的正途！

徐士瑚、徐悲鸿、金善宝拒飞台湾

李蓼源

徐士瑚先生字云生，山西五台县著名教育家徐一鉴的哲嗣。早年由清华西洋文学系毕业后，旋赴英国爱丁堡大学深造，得硕士学位。又转赴剑桥大学钻研莎士比亚与教育学，1936年归国，任山大英文系教授兼系主任。1937年冬，日军侵占太原后，山大奉令解散，先生到西北联合大学教书。1939年为了三晋学生的学业，他奔走呼吁，终于在陕西三原县使山大复校，后又以教务长、代校长的身份，带领山大学生辗转在宜川、韩城等地上课，抗战胜利后迁返太原，先生任校长。

我是四十年代初认识先生的。使我印象最深的是他不攀权贵，不畏权威的风骨。他淡于名利，关心别人胜于关心自己。人所共知，先生是阎锡山的姻弟，但是他在主持山大校政期间，多方设法抵制阎的同志会和国民党三青团势力的发展。他常说："山大是高等学府，培养人才，不培养奴才。"因之阎对他极不满意，但以其在学界威望崇隆，亦无可奈何。1949年晋中战役期间，他毅然带领学生离开去北平，使学生避免了当阎的炮灰的噩运。山大师生参加了北平大专院校轰轰烈烈的反内战、反迫害、反饥饿运动。

1949 年 1 月，北平和平解放前夕，蒋介石派国民党中央青年部长陈雪屏到平，敦请动员十四个国立大专院校院校长和著名教授离平南飞。当时飞机已经备妥，北大、清华校长胡适与梅贻琦两家和数名教授乘第一架飞机离平；师大校长袁敦礼一家乘第二架飞机离平。独先生与大画家、艺专校长徐悲鸿；小麦专家、农大校长金善宝坚拒离平。先生义正词严地说："我是一校之长，我要与师生同命运，共呼吸。"

由于先生身体虚弱，为了专心著述、教学，才辞去山大校长职务，由邓初民先生继任。

徐先生著作等身，在翻译英、俄文学巨匠的名作方面，洵称大师。

少年董其武励志苦学

张荣耀

董其武将军晚年，乡人山西河津县固镇村王立本致董信中有曰"董老你家是家贫如洗。"董老曾答诗一首：

自幼家贫志气宏，誓为中华再复兴。
血气方刚战倭寇，义旗一举迈新程。

八旬尚有孩提友，鱼雁相通颂太平。
欣逢历史大变革，奴隶都做主人翁。

诗多感慨，实近白描。董家种地主二三亩地，收与不收，一亩地一年都要交七斗租。只剩五六斗，糠菜半年粮，勉强度日。

家贫如此，董其武之所以还能念书，是自小在舅舅家的缘故。其舅父是私塾先生，董其武附馆读书，私塾的大粪都由他挑，每天往地里挑三次，每十天还要到山里背两次炭，供外祖母家里做饭用。就这样一直念到快二十岁。古文读得不少，作文一写几千字。

有一年，董其武写了一副对联贴在舅父床前："璞玉藏石，何日得逢卞和氏；干将伏土，几时能遇茂仙翁。"第二年春天，有个拔贡叫李天培的来作客，知道是董其武写的，就问董其武为什么写这副对联，董笑曰："随便玩玩。"李天培说："你不是玩的，很有志气。"并主张让董上高小念书，其舅父说："哪里有钱让他上高小。"李天培说："一个月背上三十斤面，拿上三十个麻钱就可以。"

董其武上高小只二年，适逢阎锡山在全省招学兵，河津全县有一百三十多人报考，董其武想去，舅父说："好事是好事，咱没钱去不了。"他回到固镇村，董武常和董盼银二人帮了他五块钱，算了算到太原八百四十里地，仅有这点钱到不了，董武常又为他转借了五元。那时不通火车、汽车，有钱人家子弟一人坐一辆轿子车，钱差一点的坐大篷子车，董其武说腿疼不能坐，其实是没有钱。天刚亮，同学们还没有起床，他就上路了。董其武徒步走了八百四十里，八天就到了太原。住旅店要一起吃饭，他说不好吃，每天到街上吃小米稀饭窝窝头，跟在路上一样，还是一天几分钱。

报了名，二十天后考试，共考三场。头一天是国文，七千五百人他考了第一名；第二天是数学，又是第一名；第三场是检查身体，穷人家的孩子虽吃的不好，身体不太壮，结果还是第一名，三个第一！董其武被录取为第一名，去报到时，有的同学带一百块钱都花光了，而董其武带十块钱还剩两块六角。去学校人力车每人要一毛钱，有的同学没钱了，董其武说“我有”，给了每人一毛钱，出了六个人的车钱。

追记黄樵松烈士的一些往事

臧克家

1938年春，台儿庄会战时，我到三十军采访，那时黄樵松是二十七师师长。三十军有个“战地服务团”，内有以群、蒋牧良、李辉英等，还有二十七师秘书、共产党员丁行同志。丁行给黄樵松的影响很大。我写有《津浦北线血战记》一书，介绍了三十军，有黄樵松的照片与事迹，由生活书店出版。

1942年春天，我离开第五战区司令长官部，与碧野、田汉二位作家到湖北南漳三十军去，时常到黄樵松师部作客，我们相处了约五个多月。通过这一段接触，黄樵松给我留下了很深的印象，至今难忘。黄樵松将军的最大特点是当官却没有一点官气，生活朴素，平易近人，为人诚恳、豁达，对朋友肝胆相照。现在我还清楚地记得，他的儿子总是穿着布鞋，衣着简朴。这在国民党高级军官的子弟中是很难得的。

从黄樵松和我多次交谈中，我了解到他青年时代就有强烈的爱国主义思想。他出身农家，少年时未能上学，全靠自己刻苦自学。他十六岁时，西北军在他的家乡招兵，他立志从戎报国。由于身体矮小，按规定不够当兵的条件。为了达到目的，他站在一个高个子人的身后，立起脚尖，才被录取。以后由排、连、营、团逐级擢升为师长。

黄樵松将军抗日很坚决，真诚拥护共产党提出的抗日民族统一战线。在对日作战中，非常勇敢。1937年娘子关战役中，他率领所部埋伏在娘子关附近山中公路两侧，袭击了日军的一个旅团，并亲自结果了敌军官里登的性命。他为此十分振奋，曾作诗以志此事："陈兵娘子关，壮志薄云间，笑斩里登头，放歌大坂山。"1938年在台儿庄战役中，他表现得也很英勇。

到南漳之后，他让我给他物色一位秘书。我

便把当时也在五战区文化工作委员会工作的进步青年单柳溪介绍给他。

1942年五六月间,我们离开了三十军,与黄樵松将军分了手。此后,我们还经常通信。他爱好文学,尤其喜欢诗。有时写了诗让我修改,上边引的那首诗,就是例子。

后来,他一度被调到六十八军,受刘汝明的指挥。刘汝明思想很顽固,军阀习气严重,引起黄樵松的不满。一次,他在给我的信中曾写过这样几个句子:"手枪砰砰,黄樵松,打倒军阀,在梦中!"我当即写信说他太不慎重了!被查出来,可是要掉脑袋的事。由此也可见他对国民党军阀痛恨之深。据我了解,黄不满国民党已非一日,对共产党也早有向往之心。1948年11月初,正当解放太原之战的关键时刻,经过徐向前同志的工作及高树勋将军的联系,黄樵松毅然决定率部起义。不幸为其部属二十七师师长戴炳南向阎锡山告密而被捕。他于南京就义前还曾举手高呼:"中国共产党万岁!"等口号,与我方派去的人员晋夫同时牺牲。

省府主席之子娶农家女

李蓼源

赵宗复是赵戴文(曾任南京国民政府监察院长、山西省政府总参议、山西省政府主席)之子,算得上是三晋名门,数一数二的贵公子了。可他在三十年代初叶,负笈北平燕京大学读历史系和新闻系时,就秘密地加入了中国共产党,为燕大中共负责人之一。

抗日军兴,他回到山西,深入阎政权营垒,任第二战区政治交通局长等要害职务。这种特殊条件和合法地位,加上他苦心孤诣,机智过人,使得他为人民、为革命作了大量的卓绝工作。

抗战前期,赵宗复原配妻子病逝,不少巨宦显爵、高门世家的小姐求嫁。赵戴文也以家长之尊一心想包办他的婚姻,并为他选定了一位特任官的爱女,可称才貌双全的名媛,宗复却设辞不从父命。他当时主持进山中学校务,住隰县车家坡,为了地下工作保守机密的需要,与一乳名"喜孩"的农家女相识,很快成婚,且替她改名"熙赫"。时人普遍认为宗复清高不群,实际上他更有一层用心在。

1948 年秋,我从阎的政治犯监狱释出,宗复两次避开敌特监视，到我住处，通报敌特“欲擒故纵”的用心，催我快走为好，并为我到北平就学作了安排，使我一家得以脱险。我临行前，他脱下腕上的手表让我捎给已到北平的熙赫。熙赫接表失声痛哭说：这就是他最后一件财产了。

历经磨难，他与我劫后重逢，已是解放后他出任太原工学院院长之时。我问他为“喜孩”易名之旨，他笑曰：“熙者，希望；赫者双赤，合起来就是希望夺取和建立红色政权，乃有光明前途之义也。”

熙赫单纯热情，对宗复忠贞不渝，宗复晓以革命道理，进步很快。他们真是一对感情极洽的美满夫妻。

延安各界纪念抗日战争五周年

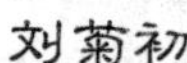

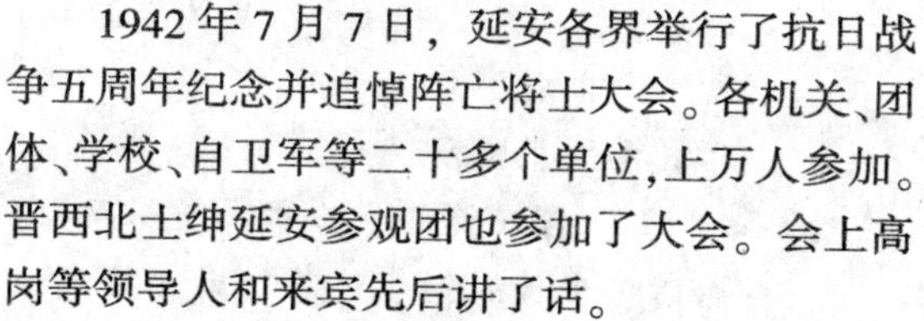
1942年7月7日，延安各界举行了抗日战争五周年纪念并追悼阵亡将士大会。各机关、团体、学校、自卫军等二十多个单位，上万人参加。晋西北士绅延安参观团也参加了大会。会上高岗等领导人和来宾先后讲了话。

1942年5月，太行军民“反扫荡”作战中，八路军副总参谋长左权将军，在辽县十字岭作战，光荣牺牲。大会上悬挂着无数的挽联、挽幛，表达了对他的丰功伟绩的赞颂和尊敬、怀念之情。

挽联中有：

血战撼太行，党国从此失名将

哀声遍环宇，三军继起步沙场

（中央政治局）

五年抗战敌后苦撑任重方知忠共推吾党柱石

万里驰驱阵前奋斗临危何惜命不愧黄帝子孙

（林伯渠）

生死关头到最后共御外侮永息内讧地下英雄当瞑目

艰难责任在当前建设方殷抗战犹烈国中志士应同仇

（贺龙、关向应、林枫、徐向前、高岗）

苦战一生立下多少功劳不幸为国捐躯万民悲恸哭名将

敌后五载消灭无数日寇孰料今成永别全军挥泪吊太行

（十八集团军总政）

沙场万里埋忠骨

俎豆千秋祀国殇

（国民党二十二军军长高双成）

痛诸将士苦战捐躯迭著功勋支柱沉沦大陆

愿我同胞追随遗志歼除敌寇收回破碎山河

（中央党校）

志士烈名光炳党国青史里

将军遗爱表现人民哭声中

（回教救国协会）

死者不瞑目生者岂甘心我同胞精诚团结纾国难

今年败德贼明年荡日寇全世界共反侵略慰英灵

（晋西北士绅延安参观团）

晋西北士绅延安参观团还为毛主席、朱总司令献旗，并致颂词。

致毛主席：

献旗：东方列斯

颂词：堂堂华胄历史远垂开化最早进化较迟一治一乱循环不已内忧外患史不足记今遭日寇残暴无比当世英雄谁识时机惟有毛公决策无疑持久抗战天下风靡中国不亡胜利可期如此伟人“东方列斯”

致朱总司令：

献旗：旷世英名

颂词：古多名将兮但知事君一将成功兮万众牺牲专制君主兮杀戮功臣以暴易暴兮千古痛心而今世变兮革命风行救民族之解放兮为正义而战争谋国民之幸福兮图世界之和平巍巍乎一千八百日之抗战荡荡乎二万五千里之长征献旗颂之“旷世英名”

余心清汾阳办学

马明腾

余心清，安徽合肥人，曾追随爱国将领冯玉祥任秘书长多年，为民族统一和抗日工作竭忠尽智，成绩显著。解放后曾任全国政协办公厅主任及中央人民政府典礼局局长等职。

1930年中原战争后，冯部驻军汾阳时，先生被聘为铭义中学校长。他治学严谨有方，在很短时间内，使该校面貌焕然一新，成为山西屈指可数的中学。其时我是铭中(高中)1935期学生。数年间在他的教育与熏陶下，感受颇深，获益匪浅。兹录其轶事数则，以示怀念。

他到任后抓的第一件事，就是提高师资质量。他从各地以每月一百元的高薪聘来各科优秀教师。如语文教师唐揖五，数学教师刘赞武等人。使当时铭中人材荟萃，盛极一时。他手订三苦校训是："苦读、苦练、苦作。"由此一端即可窥见其思想作风的一斑。

铭中的教育方针是：德、智、体、美全面发展。尤其注重道德品质的培养。他常说："学生就是要学习生活。"要懂得做人的意义，要确立革命的人生观。通过劳动培养服务人群和社会的美德，学习绝不应该是为了当官。生活上要求刻苦朴实,绝不允许有奢侈浮华表现。要求男生不油头粉面,女生不蓄长发、穿花丽衣裳;对于少数打扮妖娆的女生,讽之为姨太太作风。他每月的薪水高达三百元,但其生活却很艰苦。据说,大部分捐建了图书馆和接济贫苦学生。扩建后的图书馆,占用厅房五大间,书柜十六只。馆外设有图书目录,学生可以选择阅读。

“九一八”事变后,学校成立起“抗日救国会”、“九一八纪念厅”,学生佩带“誓雪国耻”臂章,并进行各种活动。

为了适应抗日救国形势的需要,他制造了大量各种木质武器,聘请冯军教导团的优秀军官任教官,每周进行两次军事训练。对于体育也很重视,各种运动器材俱全,场地也较宽广,还经常与冯军举行各类球赛。学校每天早操,学生仍沿旧身穿长袍,似有畏寒模样。有一天,他说“我给大家搬来一个火炉取暖”,于是叫同学们脱去长袍,绕场跑步一圈,诸生已是汗流浃背。其后,进而绕城赛跑。

铭中虽然是由基督教募捐开办的,他本人又是基督教徒,但他从不媚洋崇外。学校除一年一度的圣诞节外,再不进行其他宗教活动。有时为了坚持一项原则,常和洋校董们争得面红耳赤,使他们不得不作让步,但外国人对他仍很尊敬。

1933年的一天,刚刚吃过午饭,校园内突然有人喊:“校长要调走了!”不一会儿,通向大门的

甬道上,就聚集了无数的学生。见一辆小车停放在校门外,还有几个外国人在场。有人问校长要到哪里去?起先他还以言语支吾,终因经不住大家一再追问,才说出调离的话。众人异口同声地发出了“您不能走!”的哀求。后来同学们跪满了甬道,全校师生均为之大恸!校长也老泪纵横,为之唏嘘!在场的几位洋人见状,也极为同情,感叹不已。于是才答应不走了,同学们才陆续散去。那种悲切、哀求、抚慰的场面,真令人刻骨铭心,终生难忘!

当天夜间,他趁同学们不注意,才悄然离去。在他走后的第三天,当局即发布了对他的通缉令。后来听说他南下,参加了福建人民政府。

李公朴与抗日民族革命大学

邱文选

抗日民族革命大学(简称“民大”),据杜任之先生生前谈,是1937年11月太原沦陷后在晋南临汾成立的。由阎锡山任校长,杜心源(共产党员)任政治处主任,杜任之(共产党员)任教务处主任,还设置了军训、总务等机构。民大成立后,派人到武汉招收学生,聘请教师,特别以阎锡山的名义邀请著名爱国人士李公朴先生来临汾参与主持校政。

是时,李公朴先生刚于9月间由太原前线战地采访南返武汉,公务羁身,但为了开展战时教育，他欣然应邀，而且到处奔走，约请在武汉的知名人士何思敬、陈唯实、施复亮、贺绿汀、萧军、江隆基、侯外庐等来“民大”任教，动员聚集武汉的进步知识青年到临汾投考“民大”。随后李公朴先生偕同夫人张曼青冒着严寒，风尘仆仆赶来临汾。抵达的当天晚上，便不辞旅途风雪劳累，马上与学校负责教务的杜任之等研究办校事宜，拿出他在武汉时即拟好的“民族革命大学纲领”。这个纲领是根据中共中央发布的《抗日救国十大纲领》的精神草成的，共有十条。第一条就明确提出：唤起民众，组织民众，训练民众，革新行政，改造军队，保障民族革命战争之最后胜利。这个纲领制定了一套完整的战时教育方针，对“民大”坚持团结抗日的大方向及培养造就抗战建国人才，起到了积极作用；体现了李公朴先生的爱国民主思想和坚持抗日的战时教育方向。当时全国北自长白山麓，南到珠江流域的男女青年及归国华侨学生，都蜂拥临汾，投考“民大”，学生猛增到五千余人。李公朴先生亲自授课，除讲授社会学外，还利用“民大”这个讲坛宣传抗战、民主、进步。平时，他与学生一起上操、跑步、爬山，参加军事训练，和青年学生谈心，成为广大师生敬仰、尊重的一位抗日民主战士。

1938 年 2 月中旬，临汾危急，民大转移，李公朴先生动员、介绍数百名“民大”学生去了延安。李公朴先生则离开山西，回到武汉。

冯玉祥兴办平民小学

刘守覃

1930年我考入汾阳县河汾初中读书时，适值中原大战之后，阎锡山被蒋介石迫令离开山西逃往大连，冯玉祥偕李德全及随从人员、西北军官学校残部和刘田领导的一个团辗转来到汾阳。西北军官学校就驻扎在河汾中学校院西边，冯玉祥与随从人员住峪道河赵庄村的石庆寺。他身扎布腰带，看去好似农民。他常来城内铭义、河汾中学，视察于街头，与人接触非常平易，所以对他在汾阳的活动有所了解。现仅就冯在峪道河办学一事，略记如下：

冯玉祥将军在峪道河期间，为了帮助贫苦农民子弟解决入学问题，在峪道河桑沟村成立了一所"求知平民小学"，农民十分感激。教员由随从人员崔斗辰、张雪霞、王国声等担任。后来，崔斗辰担任了小学校长。学生入学额达到数百人，颇有名声。在冯将军"抗日救亡"爱国激情鼓舞下，以后有近百名学生投身革命，六十多人加入共产党。崔斗辰曾对我讲述：冯玉祥在汾阳时，专心研读社会主义理论，随从而来的西北军官学校的几名教员给他分讲社会主义、社会发展史及政治经济学等课。这时他才明白了"乌托邦"与科学社会主义的区别。他认为自己以前的思想是"乌托邦",他说:"我知道的太少了,这如何能打倒独裁呢?" 他为了学习辩证唯物主义,又聘请李达同志来汾阳给他讲学。经过这段学习,他对共产主义理论有了初步认识,对共产党增强了好感。1931 年,他邀请萧明来汾阳,就当时国内国际形势,讨论中国革命问题,并作了全面分析。经过这几次探讨,对他影响极大,使他回顾了以往,总结了教训,同意了在军官学校中发展共产党组织。

此时山西省政由商震主持,商为了讨好蒋介石,便对冯玉祥施加压力,勒令停办"求知平民小学",冯于此时不得不离开汾阳。

名流云集、各领风骚的教育盛会

石　生

1925 年,是大革命高潮即将到来的年代,中华教育改进社第四届年会就是在这种相当紧张的政治气氛中召开的。各种政治势力和派别都将年会视为角逐的讲坛,散发宣传品,扩张自己的影响力。参加年会者来自四面八方,背景复杂,人数竟达四五百人。而其中政治界、文化界、教育界的名流硕彦,层次之高,名声之大,在汾晋一隅洵为空前。请看题名录之一页:

蒋梦麟、蔡元培、熊希龄、朱其慧、叶恭绰、过之瀚、胡适、江亢虎、张东荪、傅斯年、陈衡哲、郑振铎、顾圣五、杨贤江、夏丏尊、周作人、叶绍钧、朱自清、康白情、俞平伯、陈学昭、徐志摩、孙伏园、柳亚子、梁漱溟、李璜、许地山、赵元任、舒新城、陈启天，曾虚白、孙福熙、晏阳初、陆礼华……

对于大多数中年以上的读者，上列诸公是无需费辞介绍的。

年会的地位和影响，尤其在于发起人与主持人，是连任了几届的中华教育改进社主任陶行知。他在社务报告中说："山西是中国义务教育的发源地，号召到会人员从山西带回厉行义务教育的精神，不负于山西之行。"

年会从八月初开始，历时半个月，中外名流学者发表讲演的有马寅初、叶恭绰、黄炎培、陶行知、柏克赫司特女士、麦克乐等十几位。提案也有十几件。

年会期间，阎锡山广为活动，极力扩大自己的影响，支持省教育厅厅长陈乙和出任名誉会务主任。年会在太原市侯家巷山西大学举行；学术报告、论文讨论和学术讲座分别在大礼堂和几间大教室举行。会议代表分住首义门外山西大饭店、东米市新美园旅馆、柳巷正太饭店。会议食堂设在山西大学内，由当时太原第一流的著名中西餐馆主办，饭菜都很讲究。

阎锡山还在省政府自省堂设宴招待代表和

工作人员，阎坐主位，设西餐，白兰地、汾酒、竹叶青，十分丰盛，博得一些人的好感。但对他席间所宣扬的“中的哲学”并不赞赏。

年会期间，山西外国文言学校教务长卫中(西琴)独占一间教室，以学术讲座形式大讲阎氏的“中的哲学”。卫中是西洋人，中国话很流利，长得也很魁梧，却穿着青布中式大褂，青布圆口鞋。随从的一些年轻人也是这般装束，许多代表出于好奇，才来听讲，不过由于对“中的哲学”不感兴趣，看上一眼就都离开了。会场中人来人往，进进出出，混乱不堪。

熊希龄妙语惊四座

石　生

曾任国务总理的熊希龄，由于与夫人朱其慧创办香山慈幼院，为教育界所重。他任总揆时，就曾以名流内阁标榜。

中华教育改进社第四届年会期间，在太原首义街基督教青年会集会厅举行过一次娱乐晚会，节目有浙江民间小调“荡湖舟”，有上海两江女子体育学校校长陆礼华女士的钢琴独奏，有小型魔术“天眼通”等。最有趣的还是这位在野的熊总理所讲的笑话。

熊希龄说他女儿从美国留学归来，全家人

有一天晚上乘凉赏月。女儿说:“中国的月亮不如美国的圆。”熊希龄听后很气愤,顺手打了女儿一记耳光,但没想到女儿却接着说:“就是这个耳刮子,也不如美国人打得响!”熊希龄讲得大家哄堂大笑,掌声如雷。这就是后来社会上流传甚盛的“美国月亮圆,美国耳光响”的出处。

黄炎培九龙岗即兴撰联

王新民

1926年夏,当时倡导“职业教育”的黄炎培先生,曾来到山西。我当时正在忻县中学读书,黄先生偕同东南大学的两位教授由山西教育厅长陈受中陪同,来到忻县,择定忻县城郊樊家野场村为办“职业教育”的试验点。同时,黄先生还来到忻县中学,对学生作了一次公开讲演,宣传职业教育的重要意义。他说,我们国家向称地大物博,而今反落得民穷财尽,言之痛心!拯救之道,要从教育入手,特别要大力提倡“职业教育”,借以提高人民的知识水平,培养人民从事职业的能力。这样,才能逐渐达到国富民强的目的。还说,山西局势较为安定,所以在此试点,然后再逐渐推广。讲毕曾在忻县中学游览一周,登上九龙岗顶(学校图书馆所在地)举目远眺,县城全景以及城外山河村落,历历在目。黄先生一时

兴起，当即挥笔书就对联一副，文曰：“村男于耜，村女于裳，古风犹及今时见；城外山河，楼中书卷，一般不厌百回看。”事后，学校当局为纪念黄先生来校之盛事，将黄先生亲题对联制成木质楹联，油漆粉刷成咖啡色底子绿色字迹，高悬于图书馆门外，雅致醒目，极为壮观。

杜威在山西大学讲演

薛　愈

在旧中国从事哲学和教育工作的人，大多知道杜威的名字，也知道他来中国讲学。但知他来山西大学讲过学的人却很少。

杜威(John Dewey)生于1859年，卒于1952年，终年93岁，是美国实用主义哲学最有影响的代表，又是实用教育思想的创始人。他于1919年5月，正当我国“五四”运动高潮中，接受了北京大学校长蔡元培的邀请，来华讲学。他在中国住了二十六个月之久，其足迹遍及江苏、浙江、山东、河北、福建、广东、辽宁、山西等十一个省。

他来晋在山西大学讲演的时间，正是1920年10月10日，即旧中国的国庆节。记得他是这样讲的：“今天为中国最宝贵之国庆纪念日，鄙人躬逢盛典。回想革命时代，不知费了多少力量，始能有今天。所以鄙人愿以非正式代表，向中华民国全体致贺。并希望全体国民努力于新国家的建设。”当时杜威讲演的题目是《品格之养成为教育无上之目的》。

讲演内容有三个重点:一、社会道德,二、判断能力,三、实行能力。终结部分有一段警句:“现在有一种怪现象,即有一等人虽不能作事,然不失为一好人。而能做事者,则又或疑彼为野心家、好事者。”

美国教育家孟禄博士太原行

石　生

1921年夏天,实际教育调查社的范源濂、蔡元培、陶行知等邀请孟禄博士在中国作了为期四个多月的考察。

陶行知1915年至1917年留学美国伊利诺大学、哥伦比亚大学师范学院,获政治学硕士学位和都市学务总监“资格凭”,为杜威、孟禄的学生。于公于私,孟禄在华期间的活动,都由陶行知规划和陪同,并担任翻译。

考察上海、南京、广州、北京、天津等地教育后,孟禄博士一行于10月4日抵并,受到省城各界人士的热烈欢迎,参观了学校、工厂,游览了名胜古迹,与三晋教育界名流广为接触,并于9日在督军府访晤了阎锡山。

孟、阎交谈两个小时，仍由陶行知担任翻译。

孟禄提出："此次来晋，所最注意者为贵省教育之目的，可得闻乎?"阎答："山西教育目的最普通，即所谓做好人、有饭吃是也——但欲达此目的之最善方法，尚不知为何也。"孟禄向阎锡山介绍了菲律宾某些学校重视工业、手工业制造等事，藉以解决生活问题，成效较好，期望山西参考。阎锡山提到中国汉字便于使用，难于学习，四年义务教育实不足以效用。他打了个比喻说："掘井不及泉，废井也，此意义等于白费力——先生有方予以指教。"孟禄认为这种情况确使他国为难，但中国现已提倡用注音字母学习文字，当不无裨益。

孟禄赞赏山西路改计划说："交通方便，商业振兴。人民知识渐增，教育就更能进步了。"

泰戈尔在太原五日

方　纲

1924年5月，对中国人民有深厚感情的印度伟大诗人、东方的第一个诺贝尔文学奖获得者泰戈尔，由北京来到山西省城太原进行友好访问。在北京期间，他曾由诗人徐志摩和林徽音陪同游览了北京，并到故宫访问溥仪和庄士敦等人。

5月21日下午,泰戈尔偕英、美学者和随员四人,由山西外国文言学校卫西琴陪同,前来太原访问。山西督军公署交际课英文秘书潘太初和省城三十多个群众团体代表,在正太路车站迎接他们。4时许,火车停下来,满面苍髯的泰戈尔,头戴绛色冠,身着青色袍,精神奕奕地走出车厢,车站即刻欢声雷动。到站欢迎的山西省教育会等团体,有的放鞭炮,有的奏号乐,整个正太车站挤得水泄不通。泰戈尔和欢迎者不断握手,热情地打招呼。他出了车站即乘坐马车到督军公署花园外国文言学校休息。5月22日下午,泰戈尔由卫西琴、潘太初陪同,在督署内北厅访晤阎锡山。

后来,阎锡山多次为干部讲话中都讲到这次他和泰戈尔晤叙一事。1942年他在晋西克难坡讲话时说,泰戈尔问他:"您说中国是中道文化,我们此行经上海、天津、北京,为什么见不到一点中道文化的痕迹呢?"阎锡山告他:"不只上海、天津、北京找不到,就是太原也找不到,你们想要找,去乡村可以找到一点。"泰戈尔答应留下一个英国朋友住半年研究一下这个问题。据阎说,这个英国人在晋祠住了半年,离开太原时,对阎说,在民间的交往上、伦理上,与婚丧喜庆上,还能看出中道文化来。

泰戈尔到并后,5月23日下午3时,应省教育会等三十多个教育文化团体的邀请,在文瀛

湖公园大自省堂(现在山西饭店花亭、水池,即原自省堂旧址)参加欢迎大会。与会各界人士和大中学生数千人,人头攒动,自省堂门被挤坏,窗户玻璃被挤碎。泰戈尔在会上发表了热情的讲话,对山西人民的好客之情,表示非常感动和感谢。他说:“这次我由印度来到中国,又绕道前来山西,得与诸位在此谈话,我的心中实在欢喜。中国与印度,都是东方的古国,而中印的文化关系亦发生甚早,所以我到中国来,好像是到了第二故乡。”泰戈尔讲话中,还用蝗虫比作帝国主义,深恶痛绝地抨击帝国主义以“西方物质文明”压迫中印等弱小国家,“把极美丽的世界弄得紧张极了”。泰戈尔还以恃强的羊霸占母羊的乳,饿瘦其他小羊的例子作比喻,谴责资产阶级为了私欲,侵略残杀,利用政治、经济的势力,奴役群众,压迫弱小民族,把极有活气的世界弄得死气沉沉,大多数人皆失其有望之乐了。泰戈尔呼吁:“凡是被征服的、被压迫的、被失去活命的都应该联合起来,把本来美丽的世界还他一个和谐,本来充满了生命的世界,拿回我们的生命。”他的讲话,不断被群众欢呼声所打断。

5月24日,山西省各教育机关开会欢迎泰戈尔,并派员陪他游览了晋祠名胜古迹。25日早晨,山西各界人士和学生数百人又为泰戈尔送行。泰戈尔和他的同行者经石家庄、郑州,前去华中重镇汉口访问。

白求恩过河东

陈　原

1938年1月20日，伟大的无产阶级国际主义战士——诺尔曼·白求恩同志，不远万里，来到香港。三天以后飞赴汉口，匆匆会见了当地政府官员，参观了设备简陋的陆军医院，便作了北上山西抗日前线的准备。

2月22日，白求恩乘火车离开汉口，开始了北上的艰苦历程，23日，到达郑州，在日机的肆意轰炸下，他在郑州火车站的一条板凳上睡了一夜，第二天来到潼关，从潼关乘木船渡过了黄河，进入晋南河东大地。

当白求恩赶到临汾时，只见车站的月台上到处是携家带口的难民和缠着绷带的伤员，这时日军的飞机已开始轰炸临汾，临汾城陷落在即。再往前行已无交通工具，于是他只好再乘南下的列车原路折返，准备从禹门渡河去延安。有一次遭到了日机的轰炸，四人受伤，十五头骡子被炸死，白求恩幸免于难。

3月1日，白求恩一行来到新绛县汾河岸边一个小村庄，在硬梆梆的土炕上睡了四个小时，即渡河进入新绛县城。晚上，白求恩在新绛城内天主堂受到了荷兰、法国两位神父的热情款待。

3月2日下午一时半，在日军的进逼下，白求恩仓促离开新绛，于傍晚时分进入稷山县境。

3月3日，白求恩到达河津。当时河津县城到处是阎军和伤员。白求恩在城内一家私人药店向一位江湖郎中高价购买了纱布，准备给伤员使用。

3月4日，这天是白求恩生日，在这里他以高尚的品德和精湛的医术为中国伤员精心地包扎伤口，并以此庆祝他的生日。

3月7日，白求恩乘坐一条木船，向彼岸缓缓驶去……

月余后，白求恩辗转到达延安。这时，一些记者却电报美国报社说“白求恩在中国已被日军俘获杀害”。

洋客卿主校政

长　弓

卫司特·哈奔(West Harp)，德国音乐博士，精通德、英、法、汉四种语言；对卢梭、蒙台梭利的哲学思想和教育思想多有研究发挥；与陶行知、梁漱溟、张耀翔、李四光、黄炎培、熊希龄等国内名流均有交往；严复译述过他的著作，梁启超曾为其《新教育论》题名，是二三十年代在中国颇有影响的一位洋博士。

卫司特·哈奔在柏林图书馆发现孔子的《中庸》及礼乐诸经后，认为真理之都在中国，遂起名卫中(自谓捍卫中庸之道之意)，并意译其名使之中国化，遂字西琴。1918年他横渡大洋来到中国。1920年春应阎锡山之聘到太原任山西外国文言学校教务长，总揽全校事务。他对阎氏"中的哲学"也热心宣扬过一阵子。

卫中在校开设有一门"衲鞋底、做瓜皮帽课"，请太原鞋帽店工人做老师。他认为山西鞋的鞋帮太硬，不分左右，穿上不适，和工人商量后做出了一种分左右脚形的新样式鞋，尖形鞋头改成半圆形，穿上非常舒服。工人回到鞋铺，试产试销，行情颇佳，得以流行。"认鞋穿鞋"一说，竟成了太原市民时髦一时的俗语。

阎锡山常在督军府自省堂给该校学生训话。一天，阎和卫中在自省堂前聊天，陆续前来的学生对阎毫不理会地擦身而过，径自入堂。阎突地向卫中发问："学生为啥见我不行礼？"卫中却道："礼貌是内心尊敬的表示，学生见你不行礼，是因为心上不佩服你，我强迫他们见你行礼，对学生是压迫，对你是虚伪。"阎不置可否，一笑置之。

卫中公开对学生讲孔、耶、佛三大圣人所以成圣，是因为他们的父母敢于反抗社会习俗的压力，从而孕育了有无限生命力的孩子。他还要求学生读《论语》，就要读不加注释的，要直接寻找孔子、认识孔子，孔学的精髓早被历代经师注

解坏了，他们借圣人贩卖他们的货色。学生回到家中，借卫中的话对父母的旧式家教论辩。家长们多是阎锡山的僚属亲眷，纷纷向阎提出责问。赵戴文亦认为卫中狂妄。但卫中是阎请来的洋客卿，否定卫中就等于否定自己，阎只能婉令卫中撤销了打拳、跳舞、骑马、衲鞋底、土木等课，并要卫中不要说太刺激人的话。

1925年夏，阎锡山停办山西外国文言学校，因该校未在北京政府立案，不能发放文凭。为对学生和家长有个交待，阎便成立了"进山中学"，收容该校大部学生。卫中寄人篱下，亦无可奈何，闲得无聊，在院里大种西红柿，累累果实，召来不少市民观赏。那时，太原市民还认为西红柿"好看不中吃"，直到四十年代才普遍种植、食用起来。

1932年"一二八"淞沪抗战爆发，阎锡山为获取情报，派卫中南下上海，并介绍卫中结识蒋介石，出任南京政府顾问。此后，卫中曾两度重返太原，抗战后不知所终。

章太炎与唐文治

姚奠中

章太炎先生和唐文治先生是同代人，但他们所走的道路及生活、习惯、待人接物和学术思想，却几乎完全不同。唐先生在前清是作过代理礼部尚书的达官，而章先生则是不参加科举，屡被追捕，坐了几年监狱，献身于民主革命的革命家。唐先生服膺宋儒理学，而章先生则崇尚汉学，精研朴学。唐先生继承桐城派古文传统，著有《茹经堂诗文集》，而章先生取则魏晋，施之于论学、论政，汇为《章氏丛书》。对两先生，我都曾忝列门下，印象最深的是他们的言谈行动。唐先生作为校长按时上班，每日乘二人小轿，轿直抬到办公室的左侧。办公室中间，置一长会议桌。他步入室，背里面外坐在长桌的里端。背后墙上挂着一副核桃木本色黑字的大对联，上书："名世应五百，闻道来三千。"俨然是孔、孟的再世。那时他已七十多岁，双目失明，但面色红润，白须垂胸，正襟危坐，一动不动。桌的右边，坐着姓陆的秘书，也是端坐，一动不动。气氛肃穆之至。学生们如要谒见，要先递上名字，陆秘书接到手便起立报告："某世兄请见。"老夫子站起，左手轻摆，让你坐在左边凳上。问、答毕，他仍左手一抬，陆秘书便起立送客，到门口。老夫子下班，出门走几步，跨轿杆，退坐轿内，放下扶手。稳、准、熟练，分毫不差。章先生却很随便，吃饭穿衣，全不讲究。待人接物，则是纯任自然，非常平易。只对某些他不喜欢的人和事，极为严峻。弟子去看他，随时都能见到。不论问什么，都随问随答，特别对一些轶事之类，往往谈出一些鲜为人知的内情。他的话不好懂，常以笔补充。在章先生这里，不但能喝到茶水，有时章师母还送来水果。但对外来求见的，特别是达官贵人，像蒋介石派来看望他的官员，多被拒之门外。只有冯玉祥将军，最受礼遇。

唐先生眼看不见，却不放弃讲课。他口头引经据典，陆秘书板书。他擅长朗诵古文，声音宏亮。他诵李密《陈情表》、欧阳修的《泷冈阡表》，读得声泪俱下。章先生讲《尚书》，只讲问题，不讲章句。边讲边吸纸烟。没有充分准备、占有一定资料的人，根本听不懂。更重要的是向他请教问题时，他会贯通子、史，提出一些钻研很久才能理解的意见，打开你的思路，向更广阔的道路前进。两先生如此不同，当时作为一个青年的我，出于肤浅的直觉，便从唐门转向章门。

朱清华谈章太炎

姚莫中

朱清华，字绍云，安徽阜阳人。早年留学日本，参加同盟会，从章太炎先生游。民国后，曾任安徽财政厅长，北平大学校长。“七七”后，北平沦陷，伪组织的头头王克敏、王揖唐之流，都和他很熟，想拉他下水。他只身出走，辗转到大别山安徽省政府驻地。安徽临时政治学院成立，他任教务主任。他曾告我：武昌起义后，太炎先生在上海，一时不少革命志士集于他的周围，共图国是。不意光复会骨干、在沪掌兵权的光复军总司令陶成章，突然被陈其美派蒋介石刺杀，先生愤极，发誓“至死不与陈等合作”。是时，陈其美曾再三与先生联系，先生终不顾。朱说：“先生正气凛然，令人敬佩。但究竟是书生，是学者，而非政治家。无权什么也办不成。”此事可能就是章先生后来不肯参加国民党的原因之一。

钱穆爱吃甜食

姚莫中

钱穆(宾四)是近代著名学者,国民党政府的"部聘教授"(教育部直接聘任不固定学校)。1946年西南联大解散,各校分别搬回北平、天津,他留在昆明,在云南大学和五华学院任教,还兼《云南通志》的主编,后来又兼无锡江南大学的文学院长,常乘飞机飞来飞去上课、理事。他虽忙,但在昆明时,每喜挤出下午时间,约几个朋友外出散心。那时在云大执教的章门弟子,除刘文典不算外,还有四位。其中诸祖耿是钱老在苏州中学教书时的老同事。李源澄,是钱老在历史研究方面的挚友。而我和傅平骧,则因诸、李的关系,常和他们相聚于翠湖公园内云南通志馆钱老的寓所。除谈学外,常被钱老邀到甜食馆吃甜食。昆明甜食馆不少,差不多都吃遍了。

现在诸、李都已作古,惟我和傅健在。傅已在四川南充师范学院退休。钱老长我十九岁,1990年8月,以九十八岁高龄逝世于台北市。

常氏昆仲同榜中举

常士晔

民国年间驰名山西书坛的，有南赵北常之说。南赵指的是晋中太谷的赵昌燮,北常则指晋中榆次的常赞春和常旭春昆仲。常氏两兄弟,都是晋商望族榆次常氏的后裔,是笔者的族祖。其父常立仁曾是晋商常氏的股东代表。常赞春字子襄,生于清同治十一年(1872)八月;其弟常旭春字晓楼,生于清同治十二年(1873)九月,相差仅一岁。弟兄俩自幼酷爱书法,常赞春以篆隶体见长,书宗邓石如、杨笃,楷书取法褚遂良、张穆;常旭春则先学魏碑,后宗李北海,所书笔力气势磅礴,苍劲有致。常氏昆仲的书法作品多见于墓志、寿屏和碑碣石刻,也有书赠亲友的对联条幅。常赞春还擅长指画和篆刻,尤以速成罗汉画为最;常旭春则书写匾额较多,民国年间太原商号名匾,多出自他的手笔。

常氏昆仲，不仅同为山西民国年间书法名家,清光绪二十八年(1902)壬寅恩、正并科乡试,赞春中式第三名举人，旭春中式第二十四名举人,昆仲同榜,至今仍传为乡里佳话。同时结社研讨学问,即于清光绪年间与族兄望春、磷书(清进士,笔者先祖)结成铧华社,研究经史、词章,相

与奖掖。尤为有趣的是赞春、旭春昆仲都曾任议员,民国元年(1912)旭春任山西国民公会参议兼副会长,临时省议会议员;赞春则于民国七年(1918)由教育界推荐,任国会第二届众议院议员。

献身方志编纂的杨笃

刘永德

杨笃,字稚刘,号巩同,又号秋湄,或署虬麋道人,晚称东渎老人。生于清道光十四年(1834年),山西乡宁县人。其父杨恩树,清道光丙午科举人。杨笃家学渊源,植基甚深,在乡宁应童试取秀才第一名。咸丰辛酉科拔贡,同治甲子科举人。次年赴北京复试,名列前茅。同治九年,在山西荣河后土祠侧出土《齐鞷子镈铭》,铭文长一百七十二字,杨笃释"陶"为"鲍"的假借字,并认为鲍惠为春秋时代鲍叔牙之孙,庄子之父,考证精详,为著名的金石家吴大澂、潘祖荫等所敬佩。

杨笃连年赴京会试不中,后在河北西宁宏州书院当了讲席,在纂修《西宁县志》、重修《蔚州志》中,均兼任主编。其对发凡起例,撷取当时毛奇龄、戴震和章学诚诸大师的精辟论据,定立体例,多所创见。并对郦道元著《水经注》中的谬误，通过金石文字的考究，明确地加以订正。这两部志书刊出后，京都人士，交口称赞，一时名闻各地。于是山西的代州、繁峙、五台、定襄、长治、潞城、黎城、屯留、壶关、长子等县，相继争聘杨笃纂修县志，他逐一应允。越数年，以上各县的县志，都次第完成而出版。

光绪五年(1879)，山西巡抚曾国荃奏请成立省志局，聘任洪洞王轩(进士出身)为纂修，赵城王子铸为副纂，杨笃为纂修，闻喜杨深秀(戊戌变法六君子之一)为分纂。历时十年左右，王轩和王之铸相继去世，杨深秀考中进士后到刑部任职。重视编修《山西通志》的巡抚张之洞调任两湖总督，省志局的经费不能按时拨付，同事们接连辞职，惟杨笃尽力支撑，命外甥阎干达绘制《山西疆域沿革考察图》，又命儿子杨之培勤检书册。虽在严冬风雪交加，指肿如锥，冻裂见血，仍不停笔。尝慨然叹曰："一生之寿夭，命也!倘通志不成，三晋文献，由我而斩，罪不更大乎!"清代最后一部《山西通志》，从光绪五年创修到十八年编竣开始刻版，二十年(甲午)出版，杨笃夙愿得遂。但《总序》未能终篇，即积劳病逝，终年六十一岁。

按全部通志一百八十四卷，除《沿革谱》上下两卷为王轩执笔；《星度谱》上下两卷，《古迹考》八卷，为杨深秀执笔外，其余一百七十二卷，皆出自杨笃之手。其中《金石记》十卷，考订精确，并另印单行本，名曰《山右金石记》，向为海

内金石家所推重。据梁启超在《中国近三百年学术史》中评论，杨笃纂修的《山西通志》，是全国通志中杰出的方志之一。

杨笃除献身方志编纂工作外，对《周礼》、《仪礼》、《礼记》训诂，以及《说文解字》之研究，造诣甚深；且兼通算术、历史、地理。书法专精篆籀，独具风格。楷、行书于遒劲之中，参以婉逸。余事治印、琢砚、弹琴、制笺，均既不背古法，也不流于俗派。有《秋湄遗集》行世。

郭象升撰“洗心社”楹联

民国六年(1917)前后，山西太原文庙曾设有山西省立图书馆。馆长为浙江黄岩柯璜。柯璜自述是元朝画家柯九思后裔。以柯为首的一些守旧派文人，响应康有为的尊孔读经运动，以文庙图书馆为中心，又组织了一个“宗圣会”。出版的会刊叫《宗圣学报》。阎锡山出钱资助，是个半官方的刊物。

在“宗圣会”的名义下阎锡山又搞个“洗心社”，作为个人自省修养的地方。聘请地方上著名学者主讲孔孟学说，用以灌输其大小官员。据刘国朴先生谈，当时曾礼聘其父刘克笃(字烈侯，1875—1935，山西大学文学院教授)主讲席，刘坚辞不就。

《宗圣学报》第二卷第八册第十二号第二十页有当时山西大学中斋教授郭象升拟的洗心社楹联，联文是：

入则孝出则弟守先王之道以待后世

诵其诗读其书友天下之士尚论古人

据耆老记忆，是柯璜亲笔书写，悬之厅事。联语之辞语颇雅洁，但上下联中出现两“之”字稍乖楹联之体。

1974年余来太原，偶遇杨怀丰先生。先生时为文史馆馆员，正撰写郭象升传记，记郭之死丧事颇详悉。杨云：1941年农历八月初三日丁祀文庙，郭时已被日伪俘虏，日伪胁其任山西省文化委员会委员长，丁祀中充典礼官，不慎风寒染感冒，归，拒不就医。至中秋病重，引起肺炎、痢疾。至八月十九日逝世。一代学人，遽尔奄息。杨系教育学院毕业，为郭象升亲自授业弟子。杨评价郭氏为：“落泊文人，但有成就之学者。”郭氏一生尊孔，诵诗读书，到头来在孔子面前，内心负疚，正如龚自珍《己亥杂诗》所云“报恩如此疚心多”。士论莫不为之惋惜。

当时余即以上述《洗心社楹联》之乖谬询之杨氏，杨云渠之记忆联文是“守先王道”、“友天下士”，本无“之”字。《宗圣学报》所载，疑为不晓事者谬增赘耳。

张贯三藏书不卖给外国人

高之杜

平陆张贯三(籁)为山西省著名藏书家,早年任山西大学文科学长时,每乘假期之暇,赴北京访求古籍。琉璃厂、隆福寺等处为其必游之地。每遇珍品,不惜重金以购。先生藏有宋板《孝经》一部,系陆续以零页集成者。因非一时所购,故价格亦异。以银元计,有一元一页者,有数元一页者。得来非易,视若瑰宝。逐页镶衬,加宽天地,装订成册,配以锦缎书套,函而藏之。先生住所在太原市三圣庵。该处地势低凹,约在民国十五六年,暴雨成灾,水浸庭院,滞留不退。先生虑及屋危,急于抢救书籍,首先抱取宋板《孝经》存置学校。次年翻修房屋,增高屋基。工料力选优质,务求坚固。并请书法家孙奂仑题“贯三图书馆”大字嵌于临街壁上,大门内迎面有“海藏庐”三字,系鲍振镛所书(现此石刻嵌于双塔寺外院西墙),其故居近已为城建部门拆除,建为商品房矣。

1946年,进山中学校长赵宗复受其师邓之诚教授托,欲购张先生所藏明末清初刊印的诗文集。赵因张先生为我业师,请我商之先生,并请先阅书目以便选择。先生颇不悦,谓我曰:“明末清初之诗文集是我藏书中精华之一，此类书籍有的仅刊印一次而板已毁，流传不广，弥足珍贵。若寻购此类书，我不售。至于藏书目录为我随时登录之用，从不示人。”继而勉允借阅十日。及期，邓列所选之书，并询以价格。先生曰：“我购书时，皆以银元论值，今仍以银元出售”，索价四百元。邓复函意欲商酌，先生曰：“我要多少，就值多少，岂能讨价还价！”又闻邓系为哈佛燕京学社购书，乃怫然曰：“我的书不卖给外国人！”事遂罢。

柯定础养生语

方　闻

柯定础先生名璜，浙江黄岩人，北京大学堂毕业。曾任山西图书馆馆长，兼管文庙，参加宗圣会、来复报等工作，并任山西大学美术教授。

余民国十二年来太原，入法政专门学校，校与文庙适相近，多至文庙中游观，常见先生口不断吟咏，手不停挥毫，有拜求对联字幅者，立书而就。其书宗王羲之，不尚他体。公共场所、大小商店、私人住宅，多有先生字幅。亦偶作画，以青藤为多，不轻予人。抗日期间入川，曾在重庆、成都举行书画展览，观者川流不息，名人达官，多为赞誉，时称盛事焉。

兹特介绍其绿天斋养生语，阅者当乐于一览而味之、行之，以验其效，并为传扬。摘录其文如后：

卫生无他巧，体勤动，胸长拓，足时澡，起早睡早，爱护精神，一阴一阳合乎道。昼欲寝，床不倒，仰思不愧，俯不怍，善以养吾浩。

每三餐，不多不少，不迟不早，不坏不好，肉虽多，多食麦，多食稻，且时时加意，万难食过九分五尽饱。

荤油煮熬，何如素油炙炒。凉菜生瓜，胖猪肥蟹，何如脯牛干虾，糟蔬盐肉，咸鱼淡鸟。应少进香甜，敬远烧烤。黄白酒，中西烟，肺胃咽喉少使入骚扰。

饭钟未到，零星食品禁咬。夜将眠，剥安期十个大红熟枣。晨起，徐饮少许淡盐汤，食道肠秽净荡扫。

空间新气鼻时吸，天际晴光眼常瞧，或出或处，一动一静，以整以暇，苟非家国兴亡事，身心人鬼关，不必强与世人竞赛跑。

还有数件事，千万当知晓，争讼博弈谢尘表，心猿意马，过度心思，大脑休索绞，事逢天大苦，一笑付东风，莫留心头五分钟，让过去无端烦恼。

见大处，略小处，常快乐，开怀抱，三余无事，不识不知，何思何虑，游艺坐忘法苍昊……

杜任之狱中著书

李蓼源

1933年,早年加入中共的杜任之由德返晋,积极宣传抗日救国主张,先后组织中外语文学会和西北剧社,出版刊物《中外论坛》,并约请史沫特莱女士来并讲学。当时阎锡山推出“物产证券、按劳分配”说教,他同张友渔、邢西萍、温健公、侯外庐等进步学者到河边村为阎讲学,参与阎观点的研讨和辨正,实际上是作阎的上层统战工作。

1938年,杜任民族革命大学教务主任,时张慕陶以长官部“参议”名义,要求在民大讲课,杜抵制说“没有阎长官兼校长的条子,我不能派课”,使张狼狈不堪。抗战期间,杜利用“民族革命同志会”候补高干、宣传组长、民族革命政治研究院主任、山西省政府委员的身份,做了大量的情报工作。之后又以“战地工作委员会”主任名义,在孝义指挥当地军政民机关团体,联合对日实行“经济作战”,首先对日占领区设立封锁线,控制货物出入,并肃清伪币,打击奸商和汉奸,取得了很大成绩。这样一来,同时断绝了孝义地区阎军军官的发财之路,引起许多人的忌恨,先后向阎告密,说杜企图叛变。1943年4月,杜被阎扣捕，囚禁于克难坡。在囚禁室里，他写出《易经与中国古代辩证法》和《孔子论语新体系》两书，学术价值很高。

杜任之是一位坚贞不屈的共产主义战士。

工业救国力行者柴九思

唐仁钧

柴九思，晋南河津柴氏望族后裔，留学德国，学习制钢专业。

1931年阎锡山决心发展山西钢铁工业。日本专家断言山西建不成钢厂，南京政府曾花两千万元没建成钢厂，山西花七百万元建成了，蒋介石曾惊奇不已。

山西建成钢厂，柴九思先生功不可没。

建立钢厂困难重重，轧钢部是钢铁成材的要地，作为轧钢部主任的柴九思，需要负责复杂而庞大的机器群安装。高薪聘请的外国专家到关键时刻都借故不干，因此失败。柴九思与部中张鹤洲技师(工程师)、工人刘毓秀、工长蔡文彬等人商议，尽量和德国人搞好关系，得以保存图纸。多少个夜晚都在复制图纸中度过。当德国工程师借故摔伤，住进北京协和医院不肯回来时，柴九思等绘制的图纸已经完成，他们自行安装，并按期完成了安装任务。

柴九思还是阎锡山修建同蒲铁路的主要决策人，和建钢厂一样，订购德国器材，大多由他去欧洲办理。

柴先生思想进步，"五四" 时期就曾出巨款资助晋阳书社。后来杜任之能在山西成立中外语文学会，出刊《中外评论》，也赖柴九思亲自向阎锡山说情。

柴九思先生解放后受到周总理接见，晚年编译冶金、机械技术辞典，可惜这些资料在"文革"中已焚毁了。

研究三晋名贤的爱国侨胞方闻

涂崇寿

台胞方闻先生谱名树中，号彦光。1901 年出生于山西省五台县滹沱河阳之望景岗村。北伐时期，他以优异成绩毕业于省立法政专门学校政经系，由校长冀贡泉荐于山西当局录用。次年，随晋军驻保定，进北京，创办《民言日报》。1932 年返太原后，被委任太原绥署主任办公室秘书。后任《山西公路》社社长兼山西官书局经理。抗战时期曾出任绥署第一室少将副主任兼现代编译组组长、第二战区司令部秘书处长、省政府驻重庆办事处主任、国民党政府铨叙部司长等职。宁沪解放前赴台。他退休后，从事文教

事业，曾任台湾几所中学的校董，应聘台湾辅仁大学教授兼总务长。现侨居美国。

方先生虽从政多年，却始终不失学者本色，精通政法、国学与史学。多年来他深入研究山西名贤事迹论著以及诗文墨迹，持之以恒，广事搜罗探索，考究翔实，因而成果卓著。其研究对象，主要集中于傅山和徐继畬两位先贤。

早在抗战之前，方先生即着手对傅山的生活时代、家世出身、生平事迹、思想观点、言论著述、友朋交往、南北行踪以及传说轶闻等，进行过全面的研索。1943 年草成了《傅青主先生大传年谱》初稿。经过二十多年的考证与充实，这部凝聚心血的巨著由台湾中华书局出版发行。

方先生对清代道光、咸丰、同治三朝名臣、五台县乡贤徐继畬(号松龛)，也进行了多年的深入研究。他不顾年老体弱，不惮烦劳，由其子女陪同在台、美、日各大图书馆遍览典籍，前后参考了六十多种书册资料，终于编写成《清徐松龛先生继畬年谱》，由台湾商务印书馆出版发行。他又在中外报刊上多次撰文介绍《徐松龛与瀛寰志略》。方先生提供的徐松龛巨著《瀛寰志略》原稿，《退密斋诗文集》原稿和松龛先生之父润第(号广轩)的《敦艮斋遗书》亦先后由台湾商务印书馆出版。《傅谱》、《徐谱》与原稿《志略》等巨著珠联璧合，相得益彰，受到中外学者的赞扬，对沟通东西文化、促进海峡两岸的交流，贡献良多。正如方先生所常说的：我应以无负于文明古国炎黄子孙而自奋勉。

综计方闻先生多年收集保存的傅山、徐继畬两位三晋名贤与徐继畬之父广轩先生的珍贵文物资料，分为：照片、传记、书籍、墨迹、印章、《傅谱》、《徐谱》及有关文件等七大类，约大小四十余种。其附品如字帖、条幅等复制件约为大小二十件。此项珍贵文物以及其他少数书帖等，已由美分批寄回北京，由笔者家叔徐士瑚教授收转赠交太原三晋传统文化研究会副会长刘贯文同志接收。1990年于省博物馆举办了“徐松龛纪念馆文物展览”，后又于北京历史博物馆举办展览，并决定此项文物一齐移交五台县城徐继畬先生纪念馆(徐向前元帅生前已为该馆题写了门匾)保存展览。另一批则寄交笔者收转赠予忻州市徐继畬学术研究会与五台县大建安村徐氏宗祠文物保管组保存展览。此前，方先生已为其母校五台县东冶镇沱阳学校捐赠了部分文物，此外，方先生又寄回上述之《傅谱》、《徐谱》等部分文物，由家叔转赠予山西大学图书馆，以弘扬祖国文化、发展桑梓文教事业。

脚踏实地的左直之

乔家才

左埏先生字直之，繁峙县人。夫人杨爱莲是山西第二号政治人物杨爱源的胞妹。所以直之大学毕业后，即返回山西工作，月薪五十元，在当时并非优厚待遇。我与直之是北平民国大学同班同学，感情不错，在太原时常有往来。

直之为人聪明，通达人情，是一位脚踏实地的政治家。有次他请我吃饭，向我讲述了关于调查统计的一件趣事，可见其品格。

大约民国二十二三年间，山西进行十年计划之前，先召集派赴各县的专员集会，研讨办法。大家对于计算十年的增长办法都觉不易，对整个工作亦感困难。惟直之鹤立鸡群，会中表示，没有什么困难。他被派往阎锡山先生故乡五台县工作。

直之到五台县后，召集各村镇小学教员开会，要求在一周内完成。各教员听了大吃一惊，齐说这项工作，计算困难，恐两三月也完成不了。直之告诉大家，计算统计，并不困难，比如一个村有十头猪，两年、三年以至十年都填十头好了，这不很容易么。于是花了两块钱，买些三蒲纸(一种麻纸)，分发各教员，分别统计填写，收齐后装订成册，合成了五台县的十年计划。直之从奉派赴五台，到完成使命，回到太原，还不到两个星期。

省府承办十年计划人员，一看五台计划不合规定，不予接受，直之于是向阎锡山先生报告说：“养猪是要大家有肉吃，改良生活，如果养猪不杀，岂不成了猪的世界，十年以后，全村都是猪了。这种计算方法不合理。”阎听了很有道理，遂通知各县十年计划专员，改正了以前的计算方法，并对直之予以褒奖，说左专员办理十年计划，既省钱，又很快，是一位杰出的青年才俊，每月除薪水外，津贴八十元，比正式薪水还要多。

1949年战事紧张，直之因职责所在，留在太原。杨爱莲女士携三男、三女六个孩子由北平赴台，个个成家立业，后来都移往美国。1978年子女将直之接到美国，杨爱莲女士也由台湾到了美国，分离三十年之久，全家得以团聚。

直之在美，仍秉承勤俭家训，每日四出捡拾抛弃之铝罐子，变卖所得，每月有数百美金。除零星汇寄大陆亲友外，并一次捐赠美金一万元给繁峙县中学，助其建筑左埏科学馆；又以五千美金，设立教育基金，以其利息收入充作学生之奖学金。直之这种热恋家乡、兴学助教的义举，在乡里传为美谈。

山西武术一瞥

陈盛甫

山西自古以来，战争频繁。在保家卫国战争中，出现了不少武艺高强的名将。武术是冷兵器时代战斗的主要手段，因之在山西早已扎下了深根。城市乡村，山林寺院，练武的人到处都有。武艺超群的英雄豪杰，层出不穷。除野史外传和传闻的一些传奇人物外，列入正史的也很多，如西汉的霍去病，三国时的关云长，隋末的单雄信，唐朝的李世民、尉迟恭、薛仁贵、郭子仪，宋朝的狄青、杨业、杨延昭、杨文广等，都是有武功的杰出人才。他们的练功过程虽无记载，但他们的忠勇事迹和高超武艺却经艺术加工后，在舞台上表现出来，作为美谈。不管它的真实程度如何，对宣扬武术和歌颂武德都起了一定作用。这是山西的光荣，也是武坛的荣誉。在国内流行最广的少林拳、形意拳和太极拳都与山西有密切联系。传闻白玉峰曾复兴少林拳，姬际可依岳飞六合拳创形意拳，戴隆邦著《形意拳谱》广授门徒，王宗岳发挥太极拳的理论与练法，写下了价值颇高的《太极拳论》。他们都是山西人，为发展这几个深受广大人民喜爱的拳种，作出了卓越贡献。特别是形意拳在山西开展得最普遍，人们

称山西为形意拳的发源地。

根据调查，解放前数十年中，山西武术名师的职业约分七类：一是营镖局业的；二是设场授徒的；三是在学校任教师的；四是为资本家或地主护院的；五是为官府当差办案的；六是江湖上卖艺的；七是隐居山林寺庙，不求闻达，潜心苦修的。他们的职业虽不同，但都有各自独特的技艺与精湛的功夫，培养出不少出色的高徒。如河北人李洛能在山西太谷授徒多人，其中功夫最深的有河北人宋世荣、刘奇兰、郭云深，太谷人车永宏、贺永亨、白西园、张树德、李广恒等八人，时称八大金刚。八人中尤以郭云深、车永宏、刘奇兰、宋世荣最著名。宋世荣字约斋，在太谷开设古玩钟表店，教出了不少名手。他晚年兼练自创的盘根，造诣很深。当时他藏有《内功经拳谱》，是难得的古籍(现已不知下落)。车永宏字毅斋，人称车二师傅，他除投师李洛能外，又学艺于祁县戴文亮和交城王昌乐。他刻苦钻研近二十年，既全面继承了形意拳种的精华，又与宋世荣、贺永亨、李复贞等研究，对古老的形意拳作了必要的改进和创新，使形意拳进入了一个新的发展阶段。车二师傅在太谷授徒最多，他的造诣达到了炉火纯青的境地。十九世纪八十年代中，在天津举行的国际击剑比赛中，他击败了日本选手，蜚声华北，一时间向他投师学艺者云集太谷，连河北著名的崩拳大师郭云深也慕名来山西向他再学艺。

车派形意拳创始人车永宏

布秉全

形意拳是我国武术的一个重要拳种。从十九世纪五十年代传入山西太谷后，经著名形意拳先师车永宏之手，得到了重大的改革和发展，形成了具有独特风格的车派形意拳。

车永宏先生，字毅斋，排行第二，在山西，人称车二师傅。太谷县桃园堡人，后移居太谷贾家堡。1833年，车永宏出生在一个贫苦农民家庭里。幼年时，在家帮父种地。成年后，在太谷“积安堂”商号当马车夫。约在1856年，经人介绍，拜河北深州人李能然(号洛能，世称神拳李洛能)为师，学习形意拳。当时，形意拳宗师李洛能在太谷孟绣如家护院。车永宏自得名师指教后，二十年如一日，晨昏苦练，深得形意拳之精义，终成名家。中年以后，保镖护院，收徒传艺，声望渐高，远近知名。车永宏不仅拳艺精湛，而且武德高尚。虽身怀绝技，却从不谈人之短。教授门徒，诲人不倦，曾培养出不少形意拳高手。车永宏平时沉静寡言，待人谦恭和气，慷慨仗义，视富贵如浮云，专爱恤贫济孤。因此，颇受人尊重。生前曾获清“花翎五品军功”。1914年逝世，终年八十一岁。

网坛初放姊妹花

师道刚

民国二十二年(1933)10月10日至20日在当时首都南京召开了第五届全国运动会。女子网球赛共有十四个省市参加。山西派出的运动员是王春菁、王春葳两姐妹,她们在会上表现极为出色。第一场山西对广东,两个单打都赢了;第二场对南京市也赢了;第三轮是半决赛,对北平市黄淑懿、黄淑清二姐妹又赢了;第四轮是决赛,山西对四川。当时四川的女子网球比较厉害,她们受过正规训练。四川参赛的是鲍大纯、黎玉萍。比赛结果王春菁以二比零取胜,王春葳二比一取胜。一个北方内地省份的两个毛丫头(一个十九岁,一个十八岁)竟然打败体育发达的大城市选手,囊括单打双打冠军,大爆冷门,成为全运会上轰动一时的新闻。

接着在1934年天津举行的第十九届华北运动会上,王氏姐妹又获得了全胜。

同年5月12日至19日第十届远东运动会在菲律宾的马尼拉召开,我国运动员共一百三十四名,王氏姐妹还有北平的黄淑懿和南京的刘玉兰被选定参加网球比赛,虽然由于气候炎热,无法正常发挥技艺,共打了两个单打、一个

双打，王春菁以二比一赢，春葳输给了对手，刘、黄的双打也输了，但她们的精彩表演深刻地印在人们心中。

1935 年 10 月 10 日到 20 日在上海举行第六届全运会，王氏姐妹再次代表山西参加了网球赛。当时有十二个省市报名，比赛时只有八个队参加。女子单打第一场王春菁打败了河北队，第二场胜广东队，第三场胜南京队，第六场决赛对上海，以八比六、六比二获胜。上海选手是魏麦谷姐妹，她们第三轮中打败了王春葳。最后王春菁获得女单冠军，女子双打王氏姐妹分别和河北、四川、上海比赛，每局都是六比零，共胜了三十六局，王氏姐妹获得绝对冠军。

王氏姐妹能取得这样优秀的成绩和他们父母的精心培育分不开。她们的父亲王宪是山西宁武人，山西大学工学院院长，英国留学的采矿工程学教授。在英国时和爱伦·派克(Ellen Parker) 相爱而结婚，1913 年学成回国，1917 年任山大教授。王春菁(Joan)1914 年 8 月 20 日生于太原，春葳(Winifred)，1915 年 10 月 14 日生于平定县。王宪夫妇爱好网球，这对姐妹从拿得动网球拍就伴随父母打网球。当时山大武尽杰教授球打得比王宪要好，王宪就请武尽杰指导孩子练习，到十二三岁随父母赴北戴河避暑时，也不放过让她们参加当地比赛的机会。她们自己也很刻苦，打球不讲究场地和器材。

1937 年抗战开始，王春菁参加了贵阳中国红十字会救护总队部工作，和施正信大夫结婚；妹妹王春葳和贵阳的钱立结婚，钱立去世后，移居美国纽约，曾在联合国工作。王春菁回顾半个世纪前的往事，感慨万端。她说，在远东运动会上就认识到，中国体育还是十分幼稚的，缺乏体育科学研究，缺乏组织和训练，处在盲目摸索的状态。看到现在中国体育的飞跃发展，兴奋之情，不能自已。她希望新中国的网球运动打出更高水平，冲向世界高峰！

阎翁之意不在树

吴士未

1919年前后，阎锡山提出“无山不树林”的口号，要求凡通行大道两旁、河流两岸，都要插柳植槐，林荫成片。阎锡山还装腔作势，亲自检查，看来好像关心植树造林。有年冬天，阎去阳曲、太原等县视察，行至阳曲境内，看见大道两旁的树苗，用草包裹，多有防冻设施。回省后，他百般夸奖阳曲县长孙奂仑，还决定将孙提升为厅长。原来，孙奂仑预先探知了“省长出巡”的地区和路线，就将必经之地和巡视地区内已经旱死和冻死的树株一一用草包扎，名为防寒防冻，实是遮掩枯死。阎锡山决定提升孙奂仑后，左右机要人员便以此事见告。阎说："能像孙奂仑这样做的，也是好的。"孙奂仑就这样一跃而为省一级飞黄腾达的人物了。其实阎锡山此举是"醉翁之意不在酒"，他获悉孙奂仑是直系军阀曹锟的外甥，为同曹拉关系，便扮了一次醉翁。

阎锡山登锡山

周玳

中原大战的中期，阎锡山与冯玉祥将汪精卫从香港邀到北平，筹组扩大会议，准备组织一个国民政府与南京蒋家国民政府唱对台戏。扩大会议开幕了，并选出阎、冯、汪、李(宗仁)、张(学良)、唐(绍仪)、谢(持)七人为国府委员。但在国府委员选出以后，组织政府的工作，却迟迟不能推进。为了挽回这种政治上的颓势，阎锡山曾在民国十九年九月九日上午九时零九分，在北平怀仁堂就任了国府主席。为什么阎锡山选择这个时间就职呢?我们跟他较久的人都知道，阎锡山虽然是留日学生，但封建迷信思想却根深蒂固。1928年南京召开编遣会议时，有一天恰值放假休会，他邀我陪他便服去游无锡。因为无锡有个锡山，恰好与他的名字相同，他便和我兴高采烈地攀登了锡山。上山以后，他忽然问我："这里

名叫锡山，为何没有锡呢？”我说：“我哪里知道。”恰好有个老人在旁闲步，阎便向老人打听：“老先生，这里叫锡山，却为什么没有锡呢？”老人不慌不忙地说：“这里有句老话，‘有锡天下乱，无锡天下安’。”阎锡山听罢，没有和老人作任何寒暄，扯着我就往下跑。不但那个老人目瞪口呆，连我都感到他举止失常，十分诧异。后来我才想通，原来他名字叫做锡山，而那个老人说什么“有锡天下乱，无锡天下安”恰好犯了他的尊讳，所以他很受刺激，转身就走了。由于他的迷信意识浓厚，所以选择了这样奇怪的时间，表示阎某人今天是身登九五。可是他的“九五”吉兆，没能给他帮一点忙，他只当了不到一个月的主席，便告战败，退出北平，逃往大连了。

阎锡山的父亲误为英烟做广告

泉 圣

1929年，阎锡山在故里兴建祠堂，置河边村石沟南端三十多亩地。除占八亩多地外，剩余的做了其父阎书堂(字子明，村里人称“老太爷”)的菜园。菜园的地，由阎锡山派驻河边村的卫队耕种，阎书堂常在此散步消遣。

一天，英美烟草公司的一位英商，带着笨重的摄影器材和摄影师来到河边村，拜访阎书堂，说要给阎拍电影。同时,给阎送上十听大炮台香烟作为见面礼。阎书堂虽是阎锡山的老爹,但他只知道前三四年(准确地说是1924年6月间)他儿子在太原拍摄过什么阅兵电影,只见万喜子(阎锡山乳名)在电影里来来往往,没想到这次洋人主动找上门来,要给他自己拍电影了,便满口答应。当选拍场景时,阎书堂很自然地想到了他那块绿油油的菜地。英商一行来到菜园,选好景,给阎书堂递上一支“大炮台”香烟,让他笑眯眯乐哈哈地叼着,开始拍摄……。

不久,中外人士在影院等候,电影正式开映前,从荧屏上广告里看到了阎书堂的形象,字幕上写着:“阎总司令的封翁阎子明老先生喜欢吸大炮台烟,他在菜园里散步,都不忘吸一支!”原来,堂堂阎总司令的父亲被愚弄了,英国烟商竟用十块大洋买的大炮台香烟做礼物,雇他做了一次廉价活广告。

阎锡山逃亡大连的经过

崔汉光

这件事是跟随阎锡山逃往天津的亲信李汝骧亲口告诉我的。

1930年10月,阎、冯联合反蒋失败后,祸首为阎锡山(阎任讨蒋联军的陆海空总司令及北方国民政府主席，在位两月即垮)，所以蒋介石下令对阎格杀勿论。阎把山西军政大权分交徐永昌、杨爱源、商震，返回故里河边村，扬言即将经苏联转欧洲出国考察，并发电通告蒋介石，说他决定于12月1日经石门(石家庄)赴津，然后乘轮船出国。同时将行止路线与日期，电告驻北平的张学良(张奉蒋之命，改编晋绥军，并监视阎锡山)。实际阎却于11月29日提前两天从河边乘汽车到大同向天津出发。

离河边前，阎为了确定以什么名字、什么身份上路，颇费周折。冒充商人怕途中查问时答不出商界行话，冒称公务人员又怕引起怀疑。可巧随从李汝骧从阎的办公桌上一大堆名片中发现曲成三的一张名片，印有“山阴县水利公司经理”的职衔。曲是五台人，阎的表兄，李任山阴县区长时曾相识，这样便决定以曲成三之名，佯作到天津要账并看病，李则用李龙亭名，以店伙身份陪同掌柜前去。离村时只有阎父、赵戴文、梁巨川(阎的行营办公处处长)等少数人知道，连负责警卫的排长都不知道。在夜色朦胧中，阎穿长袍、黑色马褂、中式水獭领大衣、架老花镜、头戴老式风帽(放下后只留两只眼睛，俗称土耳帽)，穿老窝头带梁的棉鞋。纯然老商人、土财神的打扮，还拄着一根手杖。

阎这次出走本来决定由李汝骧同王怀奇二人同行护送，但临行时，曾任第二战区执法总监的张培梅赶来要陪行护送，却之再三，张以豪侠

勇士自命,非去不可,阎只好同意。但张曾任晋北镇守使,雁北一带,尤其大同熟人甚多,怕有不便,所以决定阎同李汝骧乘一车前行,张同王怀奇乘一车尾随, 相距二十里, 还假装互不相识。当时,徐永昌、杨爱源、商震等人坐汽车相对而过,他们可能是来送行话别(他们也是得到 12 月 1 日离晋的电报)。因阎是睡在车上,途中凡能躲过检查站的地方,都绕路而过。沿途阎锡山只好吃从家里带来的一小袋饼子,连水也很少喝。当晚抵大同,住在一家小客栈,到了半夜改乘一辆事先约好的马车(有棚子的轿车)进了车站,登上火车。睡在地上,宪兵曾来检查,认得李汝骧,李仍说是送亲戚到天津看病, 阎也更加呻吟表示痛苦。车过张家口时天已大亮,到丰台下车等候转车赴津时,见有一列专车,正在调轨,据车站上的人说,明天(12 月 1 日)阎老西出洋考察,今天就要把车开到石家庄去等候。

从丰台转车到天津,阎一路平安,虽有车警巡回检查,但不太严格。阎在车上常以报掩面假眠,只张培梅在同一车内,相距较远而坐。在天津下车后,乘一家旅馆的接客小汽车到旅馆。

阎抵津后立即同南佩兰(字桂馨,原任天津市长)、薄以众(阎的妹夫)取得联系,并迁往薄家。过两天,赵戴文、梁巨川都到津。赵戴文不同意李去大连,李便返回太原。张培梅也因不愿同赵、梁在一起,而返回山西原籍。

阎在天津也不敢久住, 很快与日本领事馆

取得联系，在日本人的保护下，乘日轮到了大连。

阎锡山在大连住了几个月后又在日人的帮助下，密返大同，转回河边。次年(1931年)“九一八”事变，阎锡山东山再起，蒋、阎再度合作，蒋任阎为“太原绥靖公署”主任。

阎锡山与“望河亭”及其对联

翟品三

抗战时阎锡山驻地山西吉县克难坡(原名南村坡)，在“秦晋天然界”的黄河东岸山头上。这里是峰峦围绕着的一块小平地。阎大概是出于“江山留胜迹”的用意吧，便开山取石，在这块小平地上修建了规模较大的窑洞式的“实干堂”、“乐干堂”、“利干堂”等等。修建过程中阎于公务之暇，不时出来视察，指指点点，严格要求保证质量，坚固耐久。

随后，又在所住的坐西向东的原有窑洞后面高地上，修建了一座小八角亭，作游览之所，题名为“望河亭”。为了点缀风雅，还特制了一副石刻长联，联云：

裘带偶登临，看黄流澎湃，直下龙门，走石扬波，淘不尽千古英雄人物；

风云莽辽阔，正胡马纵横，欲窥壶口，

抽刀断水，誓收复万里破碎河山。

末署：“阎锡山题　　民国三十一年十月二十九日”

这副对联引经据典，揉合时局，豪情奔放，词气雄迈，配以寓画龙点睛之意的“北天一柱”横额；字宗何绍基，笔力壮遒。据说是山西省秘书长宁超武代撰并书的。其奥秘在于阎玩弄花招，掩盖与日酋“安平会议”妥协投降的丑行，用以作政治上的表白和洗刷。

阎锡山生活点滴见闻

杨怀丰

抗战期间，我担任阎锡山的秘书，据所见闻，阎生活比较节俭。他的衣着不时髦，常穿一套灰色斜纹或卡叽布制服，冬季则内套绸缎棉衣裤(絮丝棉)，布袜布鞋。有一身深黄色礼服和一件狐皮斗篷大衣，遇着节日或接见贵宾时即穿此礼服。

阎锡山吃饭是五台习惯，每顿饭必有烩菜一碗(山药、白菜、粉条、豆腐等)，另有四个小菜一碗汤；主食是大米、小米、蒸馍、面条一齐端，由他选着吃。他有胃病，医生规定吃饭有定量，但他并不注意，吃得多了，喝得多了，开会、办公时间长了身体稍觉不爽等等，都要归咎于侍从

副官的检点不到。阎锡山中年时期,也喜欢吸烟喝酒,吸烟烧过自己的被子,喝酒也大醉过,直到1936年他患了严重胃病,才戒了烟酒。1940年在吉县克难坡洪炉训练时,他下令严禁干部们吸纸烟,认为吸烟有贪污嫌疑,违者按贪污论处。后来医生告他说,每天少吸几支烟,也可帮助消化、振奋精神,于是,他自己想吸烟时,便说医生吩咐,但因有他自己下的禁吸烟令,不好随便违犯,他每天早上在"朝会"作报告想吸烟时,请大家予以通过批准,他才吸一支烟。

阎锡山常是每天早上4点起床,晚上12点左右睡觉,中午必须脱衣睡两小时(12—2时)。他早上上"朝会",步入会堂,乐队先奏乐,然后有值日人员带领大家喊欢迎口号:"会长健康!会长万岁! 拥护会长! 敬爱会长! "夏天有人挥扇,冬天有人提炉,拿热砖垫脚,苍术熏烟……阎最怕蝎子螫,在克难坡时,夏秋季节每晚临睡前,必须让卫士们举着灯笼火把在所住窑洞上下四周寻找蝎子捕杀一番,然后才入睡。冬天,卫士们把木炭火烧得通红,不见一点黑色和一丝烟气儿时,才准提进窑洞。

阎锡山平时常服滋补药和兴奋药物。抗战初期,方敬斋担任侍从西医,每日为阎配"洋参"两包。袁雨三担任侍从西医时,每天让阎服"士的宁"。后来杨镇西担任侍从西医,则为阎注射"盖世维雄"。中医张子仁等亦时进滋补中药。阎锡山每顿饭后,还必须吃几片烤核桃仁。

阎锡山生性多疑,为预防别人加害,出入设

有“副车”。他有一位老副官，名叫郝正心，面貌和阎锡山相像，出入常随阎，一有行动，郝正心先乘车前行。

外界馈赠的高级食品及瓜果等，如系远地送来，物到时，必借开会、办公之名，先让副官们在室外打开包裹呈进，叫高级干部们进来先尝一尝，然后自己才吃。有一次，稷山县长冯明德送来几盒蜜枣，我当时在侧。阎锡山说，“杨秘书是稷山人，你尝尝家乡土物。”我当面吃了几颗，报告说很好，阎始交给副官收藏。

阎锡山对他的厨师也不放心。有一次，说水内有投毒嫌疑，把他的一位厨子交给政卫组杨贞吉审讯，结果不知如何。对中医给他开的处方，必须呈进，经他亲加增删、批可后，始能抓药服用。西药注射专用一人，名叫张增庆，别人不用。

1949年2月间，阎锡山曾赴南京一行，并到奉化见蒋介石。在京、沪各地极力鼓吹他的“兵农合一”办法如何好，京、沪各报纸竞相登载。阎锡山驻南京办事处处长方闻曾剪辑各报登载阎之“兵农合一”文章，编成《南京之行》小册子送太原印行，由省新闻处承办。当时我任省新闻处长，我拿着小册子请阎批印时，曾婉言说：“南京对时局看来毫无办法了，我们须早为之计。”阎锡山说：“他们无办法，咱有办法，一线生机在太原。”饰非拒谏，执迷不悟！

1949年3月间，太原面临解放，阎锡山仍一意孤行，时而宣布集体自杀，时而宣传火海战术，要与太原共存亡。当时一般人认为，阎锡山一生好投机，到着急时，自有妙法转圜的，不料此次竟顽固到底。据我所知，前任阎锡山机要处长、后任绥署秘书长的吴绍之，曾向阎建议“和平解放太原”，阎拒不听，而且亲笔在宣纸上写了几个条幅赠给吴绍之。内容是：“知其不可为而为，才是革命。”裱好后，悬挂在吴绍之的办公室内。我曾向吴绍之探其真相，吴说：“这是对我发言的封条，我也只好‘不可与之言而不言’了。”

阎锡山与张继对泣中和斋

涂崇寿

1948年，辽沈战役结束之后，南京国民政府派国民党元老张继(字溥泉)为“华北慰劳团”团长，带着部分随从人员飞往太原慰问阎锡山。因为时间急促，张继当日还要飞往北平慰劳傅作义，阎锡山听完张继对他传达蒋介石的重要指示后，便按张继的意思马上安排在绥署东院之中和斋小会议厅接见干部。绥省两署厅处室科级以上干部约百余人参加。

大会开始后，阎先作了张继此行来并慰劳的简单介绍，接着张继讲话。张讲话要点有三点:一、对所谓“戡乱”大局形势的分析,突出了国民党政府危如垒卵、势如倒悬、四面楚歌与解放军破竹之势不能相比。二、国民党政府内部将骄兵败、政腐党横、群小分裂等现状。三、华北大局端赖伯川先生苦力支撑。

当讲第二点时,张继声调激昂,极为沉痛,一时老泪纵横,泣不成声,全场黯然。阎锡山坐于其旁,神色也极为沮丧,不禁频频擦泪。又恐张继过于伤感,有碍飞行,故时加劝阻,但张继情动于衷,想到国民党大业如病入膏肓,难于起死回生,仍哽咽不语。

这一幕真情毕露的表演,喻示了国民党政府强作挣扎,不可挽救的穷途末日。

当时我是阎侍从秘书室的主任秘书,与赵宗复同志坐在一起。当时他刚由进山中学校长调任省府新闻处处长。走出会场后,宗复同志对我说了一句话:“不意新亭对泣,重见于今日。”

阎锡山下令拆除“迎泽门”匾额

秦建基

1949年太原解放前夕,阎锡山曾召开高级军事会议,研究对策。会上,个个垂头不语,十兵团司令王靖国起而进言:“当初日军攻入太原,系由‘迎晖门’(即新南门)侵入。因‘晖’字拆开为

'日、军'二字。今共军围攻太原，大南门还悬有' 迎泽门 '匾额，似有迎'毛'之嫌，应立即拆除……"迷信十足的阎锡山频频点头，当即下令将"迎泽门"匾额拆除。数日后，阎佯称李宗仁电召赴京议事，匆匆飞往南京，再未返回。而太原亦随即解放，"迎泽门"匾额的拆除，并没能挽救其行将灭亡的命运。

忆恩师赵铁山

孙东元

赵昌燮，字铁山，山西太谷人。前清拔贡，精于书法，1926年在沪举办的全国首次书法展览会上，被誉为“华北第一笔”，康有为现场评价为“大江以北无出其右”，有南吴(昌硕)北赵(铁山)之美称。

我自幼爱好书法，1930年考入太谷铭贤中学读书时，进得校门就看到赵铁山先生题写的“学以事人”的篆字校训，遂萌敬慕之忱。1932年经旅居太原的三晋文坛耆宿常赞春世伯(常与赵系连襟戚谊)介绍，铁山先生收我为入室弟子，成为我的恩师。赵府在太谷县东门里田家后街,除周末礼拜外,每隔两、三天,我都利用课余时间登门求教。在老师“心隐庵”书房,我观摩过老师收藏的碑帖字画,也曾在侧捧砚拽纸,细看恩师书写碑刻书丹和榜书匾额,耳提面命,亲聆教益。有时恩师还带我到太谷城内东街赵家开设的“静丰得”布庄后院,静观老师为求书者书写中堂对联,从中感受其用心作书,一丝不苟,不让子侄代笔的认真精神。最使我感动的是,恩师不仅认真给我批改作业,而且用上等宣纸墨本篆学南唐徐铉摹刻秦篆,让我临摹学习。我把它装裱出来,请常赞春世伯题笺时,世伯感慨地说“赵从来不轻易给人写小篆”,故题“心隐巷墨宝”,嘱我珍藏,至今保存完好无缺。恩师为感谢家父专程为他去太谷医治痔疾,在家父六十寿辰时,题写籀文中堂“仁者爱人”、寿联“博施能济众,得意可延年”作为贺仪。

恩师四体皆精,汉隶能写百种,写有《百汉碑》,楷法可上溯汉魏六朝,初学《率更》,参以《郑文公碑》,行书初学“二王”,晚年专攻李北海,自况傅山和郑板桥。自制印章“官少一品,名多一字”,官少一品指本人被清廷授过六品京官,即农工部主事,指比郑板桥七品县令少一品;名多一字指本人赵昌燮,比郑板桥《郑燮》多一“昌”字,其洒脱风趣由此可见。

恩师不仅书艺精湛,更具有民族气节。1937年日寇侵入太谷,威胁恩师出任维持会长,恩师初偕好友武尧卿避居太谷东山侯城一带，嗣后移回田家后故宅，深居简出，从不与日人周旋，直至1945年农历五月二十九日，因患食道癌不治逝世，走完了六十九年的人生历程。遗嘱不厚葬，不立碑，不留坟丘，长眠于太谷北洸村公路道边。

恩师书法作品在港台和日本得到极高评价，日本东京都龙祥书道会专门收集和影印出版了《赵昌燮碑铭辑》三巨册线装本，日本全国书道联盟推荐为近代中国书法最佳楷书范本。1986年9月，由太谷县长董穷华主持召开“文化名人赵铁山书法研究会”，日本东京都龙祥书道会会长近森孝恕先生应邀参加并发表讲话。我作为恩师弟子有幸参加，也在会上宣读论文。恩师书法在日中文化交流中放出了夺目光彩，为中日友谊谱写了新的篇章。

齐白石的几幅画和题词

靳极苍

我老伴杨秀珍是1934年考入北京艺术专科学校成为齐白石先生的学生的。一天，秀珍临摹齐老的《懒猫春睡图》(画上，一猫春睡正浓，而一小鼠却吃残几个果子，又攀着灯台去偷油)时，得到齐老赏识。秀珍画竟，默默观看多时的齐老在上奋笔疾书:“可恨鼠子，既食我果，又盗我油,而懒猫春睡,不闻不问,人间迎猫者何为也!”此时,正是 1935 年《何梅协定》刚刚在天津签订,国民党的卖国行径再一次得到曝光。争相围着看齐老给秀珍画面题字的同学，都能领会词意,都受了一次爱国主义教育。

这幅画被我的同学、弘达学院的教务主任索走了。解放后,山西美协曾派人去找,据云,不知我的这位同学已迁居何处。

1937 年春,将近毕业之际,齐白石老人将秀珍收为入室弟子。不久,北京沦陷,在日寇扶持下,伪华北政府成立。他们为自我庆贺,准备出一画册,派人携重金到齐老家要齐老作画。来人百般恭维，齐老端坐画案旁阴沉着脸，一语不发。此时,齐老为不与日寇合作,已登报声明:“年老善饿,收回笔单。”双方僵持许久,看情形不画是实在不行的。齐老取纸铺案,秀珍赶快过去牵纸，只见齐老几笔画了一个眇着一目的老翁,双手擎一葫芦,向里窥探,画竟题云:“里边是什么?”

秀珍回家讲了此事,起初我一听,吓得出了一身汗，这不明明是骂他们“葫芦里卖的什么药”嘛! 谁知,伪政府派的两个买画的人,却千谢万谢捧着画走了。画册出笼后,齐老的画竟列于首页。

齐白石先生的四子良迟、五子良已,为了要在住家附近上学，托我安排到弘达学院附属小学。齐老为感谢附小主任,为其作了一幅画,良已的班主任某羡慕得很,于是拿了一张“玉版宣”(玉版宣纸厚,不宜作画),交给良已,让良已为己向齐老索画,良已把纸交给母亲,几天亦无消息,某便说了些威胁良已的话。良已回家向母哭诉,齐老甚愤,便用“玉版宣”画了几只螃蟹,题云:“余平生有三不画,纸不佳不画,钱不多不画,白求不恭不画。儿辈之师也,不在此列。”某得画后不解题词含意,托附小主任拿着画到我家询问。我和秀珍看后略解词意,并说:“这画她挂着不合适,我家有齐老画,愿以一幅相换。”附小主任说回去商议一下再说。翌日,附小主任告我,某闻知后,把画撕烂抛之火炉了。

可惜这样一幅难得的表现齐老不畏威胁,有言以对的个性的画,竟这样湮没了。

正气盈胸的书画家柯璜

刘永德

柯璜,字定础,1876年1月19日生于浙江黄岩桐屿乡。他生平喜养松柏、藤蔓等花木,因名所居绿天斋,并自号绿天野人。

柯璜清末毕业于京师大学堂(现北京大学)。历任山西大学教授、山西省图书馆馆长、北平故宫古物陈列所所长。抗战前后曾编译《动植矿物学》，并出版《绿天斋书画初集》，对《周易》哲学有精深的研究。孙中山曾为他题“文明导线”四字表示嘉勉。

芦沟桥事变，他迁居重庆歌乐山云顶寺，除主持重庆艺术专科学校校政外，概以鬻字卖画为生。解放后，被聘为重庆市文史研究馆馆长、中国艺术家协会理事、山西省政协常委、全国政协第二、三届委员等。

先生作书，主要学习钟繇、张芝和王羲之，尤擅龙蛇大草，晚年自成一家。著名书法家赵铁山有诗评其书法云：“挥书日万言，墨每需一斗，草法源芝旭，十已得八九。”

日寇侵华，他手书文天祥《正气歌》四条屏，自己出资刻石，并朱拓数百份，分赠国共两党领导及全国师长以上军官，借以激励民族精神，团结起来，共同抗日救国。同时印发《致日本天皇万言公开书》，警告其从中日双方长远利益考虑，立即停止侵华战争，如夜郎自大，最后骄兵必败，是逃不出历史规律的。

1939年黄河决口，先生举办书画义卖，赈济灾民。时人赠诗有“一纸应同老郑虔，饥民受惠万千千”句。先生曾多次出面掩埋革命烈士遗骨，掩护党的地下工作者。

解放后，曾书刻毛泽东、朱德、鲁迅诗词和名言，现太原、上海、杭州和苏州等地博物馆，均保存有石刻。在全国政协参加会议，曾书面发言，提出为发扬祖国民族传统文化，对孔子学说应予以历史评价。并建议成立中国和地方书法家协会，对书法艺术，予以继承和发扬。

先生生平，养生有道，年届耄耋，鹤发童颜。日每手执半斤铜管巨笔，边歌边舞边挥毫，以书画为乐。1963 年 11 月 26 日，无病而逝，享年八十七岁。

巴蜀文豪林山腴激赏董寿平

刘峪山

著名国画家、书法家、鉴赏学家董寿平先生，1904 年 2 月 17 日生于山西省洪洞县杜戍村的一个诗书世家。高祖董霁堂是清代中期著名书法家。祖父董文焕是咸丰翰林，以诗书见长于世，为清代著名的诗人和书法家、音韵家。父董维藩亦善书画，家中广集历代名家字画，尤以收藏文物图书著称，藏书多至十余万卷，闻名海内。

1921 年，先生由太原省立一中转学入北京世界语专门学校，后转天津南开大学经济系，1926 年毕业于北京大学经济系。他无意宦途，立志学画，慕清初画家恽寿平之品德，遂将董揆改为寿平。他经常去北京故宫博物院观摩历代名家字画，潜心学习，博采众长，融汇贯通，初步形成自己的清新画风。1931 年在北京始以作品面

世，蜚声京华，获得中外人士的好评。

1937 年 7 月抗日战争爆发，他携眷南返临汾，又经运城到西安，途中遗散家中珍藏名贵字画三百余件，至可惋叹！是年冬由西安经宝鸡入川，历尽艰险，始达成都。

初到成都，举目无识者，常去“琴斋”裱画店看画，渐与店主相识。店主问先生能画否，先生遂作画数幅，店主大为惊异，因向四川文豪林山腴先生介绍。山腴先生对其学识书画大为赞赏。1938 年在成都举办入川后首次画展，受到成都各界好评。1939 年他移居灌县玉垒关上，窗前遥望青城山色蒙蒙，窗下可闻岷江拍岸涛声滚滚。巴山蜀水的雄伟景色，陶冶、激励着画家的情感，他贪夜秉烛，钻研书画，孜孜不倦。在灌县十二年，作画数千幅，画艺大进。又遍游蜀中名胜，多次在重庆和四川各地举办画展，名噪巴蜀。

当时家计维艰，室无几案，只得在两堆劈柴上支一木板作画。然而先生爱国心切，在重庆举办画展时，曾将画展部分所得捐赠抗战前线战士和赈济河南水灾难民。

抗战期间，南北著名书画家多集居四川，先生与林山腴、谢无量、沈尹默、徐悲鸿、赵少昂等过从甚密，友谊深厚。1940 年，著名书法家沈尹默先生曾作诗相赠。诗云：

山水妙理备四时，谁欤写之穷神奇。
昔者北苑立标格，浑然路径绝险夷。
思翁翰墨本多韵，烟云舒卷清醇姿。

胜朝公卿亦好艺，富春名字犹昭垂。
君今年少笔已老，才堪给述同襟期。
学与年进理当尔，看君更极深沉思。

奉赠寿平吾兄画家

尹默　民国二十九年六月九日

“不比寻常称画师”，确是精当之论。董寿平在艺术上的成就是多方面的。他的画风苍劲古朴，笔墨精妙，气象万千，清新典雅，富有时代感，能在继承中国绘画优良传统的理论和技法的基础上，又有进一步的创新。他强调以造化为主，从写生入手，再寓以高度的艺术概括，重在表现物象之神韵，融汇古今各家之长以为自我之法，形成了自己的独特画风。

赵门弟子三巨匠

崔宏勋

九十六岁高龄的著名画家、美术教育家赵延绪字缵之，于1926年由日本留学回国后，在太原私立美术学校任教，以后太原第一师范、国民师范成立艺术组，聘请赵先生为该校美术组专职教师。当时赵子岳(电影艺术家)、阎丽川(画家、教授)都是美术组学生。赵子岳在课余经常来先生宿舍座谈，请教艺技。子岳不仅擅长绘画，也会拉胡琴，在屋里常和先生一起拉唱。子岳又

是个滑稽有趣的人，学着先生的寿阳腔，引得师生哈哈大笑。赵先生也没有架子，和子岳谈笑风生，极为融洽。阎丽川性格与子岳不同，较为内向，不善言谈，但绘画用功，而且善于写文章，阎的文章多次在学校成绩栏内展出。力群(版画家)是赵先生于 1926 年在太原成成中学兼任美术教师时的学生，当时力群在成成中学就读，喜爱书画，除上课外，在课余经常和赵先生来往，一起到汾河边写生。力群因此更加热爱绘画专业，后来到杭州进艺专深造。

目前，赵老先生已年近百岁，三位名满天下的高徒也均鬓发斑白，年逾八十了。但师生、同窗之间，还时有往来，切磋技艺，继续在艺术道路上探索、追求。

我给毛主席赠送木刻像

力　群

我在延安鲁艺刻了一幅《毛泽东同志像》，是根据像片刻的。

当我把像刻出后，荒煤同志和周立波同志看了都说好，劝我送给毛主席一幅，起初我以为他们是随便说说的。后来他们又认真劝我，我就决定去杨家岭送给毛主席。那是 1941 年的夏天，当我走近了毛主席的住处时，竟没有遇到一个守卫的警卫人员阻挡我。秘书对我说："毛主席正在午睡，他起来就要开会。"问我有什么事，我把来意说明后，他就要我把木刻像交给他。"请你放心，我一定把像交给毛主席。"他说。我想：毛主席这样忙，实在不敢为此而打扰他老人家，就把木刻像留下了。

一两个月过去了，我已把这件事忘得一干二净。一天早上，我在东山看到张庚同志，他说："昨晚毛主席来礼堂看戏，问到你，我们怎么也找不到。"我说："你胡说。""不骗你，毛主席坐下来问我们：'你们这里有一位力群同志吗？他送给我一幅木刻像，谢谢他。'我们左右寻你，没寻到——"这我才相信了。我当时不大爱看京戏，所以没有去，真遗憾。但毛主席问到我，却使我感到无比的荣幸。

现在这张木刻像我还很好地保存着，但一看到它就想起毛主席在鲁艺大礼堂找我的故事。

一幅木刻引起的回忆

马　烽

1980年春天，参观"力群版画展览"时，发现有这样一幅画：两个战士隐蔽在草丛中，用一挺机枪向敌人射击。我站在这幅画前，凝视着，惊

喜、感慨一齐涌向心头，顿时引起我遥远的回忆。那是1938年春天，我参军不久，部队在汾西县山云镇训练。我们连队大都是十五、六岁的高小学生、除军事、政治课外，还经常进行唱歌、出墙报等活动，以活跃连队生活。有一次，连里以排为单位举行墙报比赛，我排偷偷请连队文书画了个报头。画好后，放在我们班的炉台上烘烤。当时以班为单位做饭，那天早上轮我值日，我将做好的早饭——稀水汤煮玉茭面小饼往炕上端的时候，不小心弄洒了，偏偏洒在墙报报头上，把这宝贵的作品弄了个一塌糊涂，这可捅下了大乱子，大家一个劲埋怨。我也悔恨莫及，只是悄悄抹泪。记不得是班长还是排长，起火带炮地逼我画了个报头，因为再找连部文书重画已不可能了。我只好硬着头皮承担起这"任务"。

我在孝义城念高小的时候，除了国文，就数图画的成绩好了。老师让学生临摹，我常常得满分。因此这次对于画报头，居然也敢承揽下来。我本打算照着弄脏的报头临摹，可是颜色湮没了，恰好我在一本旧刊物(记不清刊名了)上，发现一本木刻封面画，我就以此为蓝本，照猫画虎地加以放大，画成了一张报头。比赛结果，我们排的墙报得了第一，首先报头就大为增色。画面上是战士，又是向敌人射击，这样的内容正合时宜。

当时部队准备成立宣传队，由于这幅报头，竟然把我当美术"人才"选上了。很快我就被调到新成立的宣传队当了宣传员，主要任务是在各村墙壁上写标语。早在1936年冬天，红军东征，路过我们村的时候，我曾看到一些红小鬼宣传员，提着洋铁桶在墙上书写“红军是工农的队伍！”等标语，我羡慕他们。如今我自己也变成写标语的宣传员了，感到很高兴。我学写美术字，几年间，跟着宣传队在晋东南、晋西北各地，写过不少标语。

我是由于偶然的过失，在不得已的情况下，从临摹一幅木刻画而“混”入文艺队伍中来的。可是很多年来，我一直不知道这幅木刻的作者是力群。其实我早就认识力群其人。1938年力群跟着郭沫若领导的演剧三队在晋西南一带活动，那时就有人指着他告诉我说：“那是一位咱们省的画家，灵石人。”1941年春到1942年夏，我在延安部队艺术学校美术队学习，力群在鲁迅艺术文学院当教员。“部艺”教员很少，大都是请“鲁艺”的教员带课。当时给我们带课的“鲁艺”美术教员有王朝闻、华君武、古元、马达等。力群虽未给我们带过课，但因为两个学校都住在桥儿沟村里，常常见到。在“鲁艺”举办作品观摹展览时，也看到过力群的新作。后来我改行干了新闻工作。大约是在日本投降以后，力群调到了《晋绥日报》美术组，我在《晋绥大众报》编辑部。两个报社都住在兴县高家村。全国解放后，我们又同在山西省文联工作过。可我仍然不知道我画报头临摹的那幅木刻就是力群的作品。

四十多年过去了,直到这次1980年“力群版画展览”会上,我才知道那幅木刻的作者就是力群,怎能不使我惊喜、感慨。力群同志早期的这幅木刻作品,在他的整个创作中也许不占什么重要位置,可它却是引导我走上文艺道路的媒介。

教徒美编赵力克

束　为

原《晋绥大众报》惟一的美术编辑、版画家赵力克,是一位虔诚的天主教徒。知道他是教徒的人不多,耳闻目睹他每天晚间念圣经的只有我一人。

他生于1904年,平定县人。1940年由延安鲁艺美术系毕业,分配到《晋绥大众报》当美术编辑。从1940年到1949年间,十年如一日,工作认真负责,学习很勤奋,待人热情,又神通广大。他常说除了生孩子,什么都能干。刻大字标题、刻插图、刻领袖像、刻冬学识字课本等,统统由他一人包揽。他有一个大木箱,我们称为赵力克百宝箱。刨子、锯子、刀子、铁锤、梨木板、油墨、滚子、小镜子、小锅、勺子、油瓶子,无所不包,应有尽有。谁的搪瓷碗漏了,他用铅条小斧头补上;谁的手碰破了,他有药水、药棉和胶布;

谁的衣服破了，他有碎布和针线，扣子丢了他也有。他和总务科的同志关系搞得特好，他能从伙房领来白面和羊油，给大伙炒油茶。夏天，他能从山沟里、树林里找来蘑菇、小蒜和野韭菜。秋天，他向老乡借来大瓮腌咸菜；白萝卜、胡萝卜、芥疙瘩、西红柿满缸满瓮。冬天，炕头上还栽一大盆葱。那时大灶上一日三餐小米焖干饭，生活很困难，可是我们编辑部小吃不断，大伙很满意。还有，那时编辑部的同志要经常开夜车写点小说什么的，总务科发的灯油不够用，然而赵力克从总务科领来油用不完，我们向他借麻油从不拒绝，充分供应。赵力克是我们的最好的老大哥。

在他那张用坯垒起来的办公桌上有一只展翅欲飞的老鹰标本。村里的孩子们常来看这只老鹰，并且接二连三地送来了死鸡死兔、死猫死耗子，弄得赵力克哭笑不得，拿起大烟斗，“去去去，我只要老鹰，不要这些死东西”，孩子们嬉笑着，一哄而散。

他常常聚精会神地翻阅他的剪贴本，他的所有作品，版画、标题字、题头画、尾花、领袖像、广告画等都在里边，那是一位革命美术家的心血结晶，是他的百看不厌的历史脚印。编辑部的同志们看他的这个剪贴本，他从不拒绝，然而，他内心中深藏的一个问题却秘而不宣，直到1946年才被我发现。我长期和赵力克住在一孔窑洞，睡一个土炕，他在东我在西，炕中间放着他的大木箱，算是黄河为界吧！我每每睡过一觉醒来，他枕头旁的小麻油灯还亮着，我以为他在读书，时间久了便引起我的怀疑：他在读什么书？为什么不给我看看？他怎么还轻声的嘟哝什么？我突然坐起来，探过身一看，那是一大本圣经。我俩坐起来谈信仰问题，我说咱们解放区信仰自由，他说天主教和马列主义不矛盾。我问他既然不矛盾，那为什么保密？他说为了减少麻烦。我明白了，一个接一个的整风运动，特别是那个“抢救失足者运动”教育了他。直到他调离大众报社，许多人仍不知道他是天主教徒。后来他回到他的老家平定县阳泉铁路工会，于八十年代初在他的老家去世。他是一位令人崇敬的革命家和艺术家，是一位虔诚的天主教教徒，一位难忘的好伙伴、好编辑。

怀念青年木刻家赵在青

寒　声

1942 年太行山的五月反扫荡战争，牺牲了一位青年木刻家，他就是我的画友赵在青同志。半个世纪过去了，他的音容笑貌，他的倔强性格，甚至他的画风和我们之间的友情，依然历历在目。如果问他家乡籍贯，别人会马上替他说一声“大炮响响得团团的”，因为榆社方言，常常把

“嗵”字读成“团”音。

1939 年初，我正在太行山上的《胜利报》社做艺术编辑，由于事过多，又给我调来一位帮手。他细高个子，白皙面皮，最突出的是一对门牙间有一条显眼的缝隙，那就是赵在青。战争年月没有什么行李，一个不大的铺盖卷，一个布挎包，几件画具，就是他的全部家当。我们在一个屋里住，一块为报纸插图、装饰，一块创办《胜利画报》，一干就是将近三年。战争年月流动性大，生活虽然艰苦，心情却非常乐观，坚信抗日战争必然胜利。

《胜利报》是一张石印报纸，赵在青却喜欢刻木刻，石印报和木刻无缘。为了满足他的爱好，后来还是派他到鲁艺木刻工作团学习去了。在罗工柳、邹雅等一批老木刻家的指导下，他的木刻技巧与构思功力进步很快。他刻出套色木刻连环画《崔贵武的家》之后，连同他携带的单幅画，乘参加文化人座谈会之机来看我。我拿着木刻画细看，无论构图、刀法、着色，在当时来说，确实非比寻常。他得到了与会同志的首肯和赞扬。

1941 年的八、九月间，晋冀鲁豫边区政府成立。《胜利报》改编为《晋冀豫日报》，当年年底实行精兵简政，《晋冀豫日报》又与《新华日报》太行版合并。这《新华日报》是一份铅印报纸。我们的石印机连同职工技术人员全部调去冀南银行印钞票和邮票去了。我也有机会到“鲁艺”学习，于是我和赵在青又到一块了。过去相处很好，战争中"鲁艺"重逢，两人倍觉亲热。他一块帮我制作木刻刀，一同出去写生，也同时和几个战友到漳河捞鱼拾螺蛳。那时正值灾荒年，"红色补丸"(高粱米)、"凡士林"(玉米粥)吃不饱，同志们自己动手找补充，也叫做"自力更生，丰衣足食"。

日月如梭，马上又逢五月反扫荡战争。因为百团大战后，日寇回师华北实行报复性的三光政策，企图烧光、杀光、抢光根据地人民，斗争非常残酷。在青随大队出发，我留守腹心区招呼一些老弱病号。没想到辽县十字岭战斗，左权将军指挥作战牺牲的同时，赵在青同志也在这次战斗中献出了宝贵的生命。噩耗传来，使我五内如焚，我不相信也不愿意相信这个不幸的消息的真实性，我把在青的木刻连环画《崔贵武的家》茫然地摊在眼前，邹雅同志同时走到画前："可惜啊，在青是一位好同志！"我们痛哭失声！

文山一生画虎

丁天顺

1883 年，文山生于山西右玉县，祖上是蒙古世家，七世祖始从长白山一带派往雁门关的杀虎口驻守。到其父一代，已衰败潦倒，幸赖当厨师的舅父供应，总算读了几年新学。且一边读书，一边学画，居然在右玉老家还赢得一个“小画家”的名声。

十七岁那年，文山只身来到太原谋生，在粮店谋得一个录事的差使。他白天抄抄写写，晚上刻苦习画，画艺颇见长进。后经朋友举荐，又在国立师范谋到一个图画教师的位置。

这期间，太原举办了一次“山西民间艺术展览”，展出期间，恰逢香山慈幼院院长熊希龄来晋考察，一眼便看到文山所画的一只虎，破例接见了这位年轻的教师，还邀他到香山慈幼院任图画教师。

赴北京后，文山拜访名师，切磋画艺，中西绘画无不涉猎，特别是对于画虎的技法，尤倾注了大量心血，成就亦甚为世人注目。他画虎设色全用西画之油彩，构图用笔却悉出国画传统之技法。

文山三十九岁始婚，成婚当年，从香山慈幼院初师五班毕业的文夫人被分配到山西，“妇行夫随”，文山也就一并回到阔别多年的山西，重返国师任教。

“卢沟桥事变”的隆隆炮声震撼着华北，太原沦陷之后，不甘做亡国奴的文山，不得不携妻带子，流亡西安。在此，他与香山慈幼院的副院长查良钊不期而遇。文氏夫妇也就加入了查先生领导的教师服务团，取道兰州、天水，然后又辗转到青海。文先生虽席不暇暖，寝无宁日，食不果腹，却始终未离开过美术教育的讲坛，也始终不曾放下手中的画笔。

抗战胜利后，文山从西宁飞抵上海，服务于他昔日学生鲍熙年主事的上海电器公司，专事广告制作。

上海解放前夕，许多人都劝文山先生去台湾，他却执意不从。他期盼着能返故里，重新回到那些了解他、热爱他的学生的身边去。

1950年，文山先生收到原山西省裴丽生省长寄给他的一封信，恳切邀请他回晋工作。文山喜不自禁，立刻打点行装，踏上了返回山西的旅程。

他回晋后，依然重操旧业，仍担任了太师的图画教师，同时一生画虎不辍。

名女诗人石评梅和象牙戒指

李庆祥　孙祥栋

石评梅，1902年生于平定州西关大石头沟，谱名汝璧，乳名元珠，字评梅。父石铭，字鼎丞，清末举人，辛亥年携眷到太原教育界任职。

石评梅1920年毕业于山西省立女子师范学校，经过“五四”新文化的洗礼，她“慨国是之日非，悯女学之不振”，负笈北京，考进女高师体育科，立定“以健康之精神，作伟人之事业”的志向。

当时担任女高师校长的是学识渊博、思想开明的学者和教育家许寿裳。他提倡新学与民主，聘请了李大钊、鲁迅许多位前驱学人任教。评梅入校不久就展示了文学才能，以清丽的生花之笔，写出了大量诗文，《时事新报·学灯》、《晨报》副刊、《新民意报》、《绿波》周刊每每有她的笔迹，尤其是《诗学半月刊》上署名评梅的诗作几乎每期必见。后又和挚友庐隐、陆晶清组织了紫罗兰社，创办了《蔷薇周刊》和《妇女周刊》，成为二十年代初叶的名女诗人。

1923年，石评梅女高师毕业，受聘为师大附中女子部主任兼任体育和国文教员。校长林砺儒教授说："石女士的教国文，并不是没有人教才叫她教，实在因为教育界人百分之九十九个半人是主张如此的。"后来，石评梅还曾在春明中学、女一中、若瑟女中、师大、男附中等校任教。她很注意"真情感化"教育。

一次初恋的失败，使石评梅陷入凄苦的心境，这期间的诗文多染上悲伤的情调。一个偶然的机缘，在北京的宣武门外山西同乡会成立时，她认识了高君宇。高君宇，山西静乐县人，北京大学毕业后留任助教，被称为"五四健将"，是中国共产党最早的党员之一，山西省党的创始人。他们一见如故，鱼雁频繁，萌发了真挚的感情。高君宇经常给石评梅寄赠《响导》、《政治生活》等刊物，使她对人生、对社会、对革命加深了认识。她还在北京马克思学说研究会作过文学专题讲话，同马学会会友在陶然亭探讨过诗的问题。

1924年10月，“商团”发动反对孙中山先生的武装叛乱，高君宇受命赴穗领导“工团军”平叛，负了伤。他写信给石评梅说：“流弹击穿了汽车的玻璃，而我能在车里不死——昨天我忽然很早起来跑到店里购了两个象牙戒指，一个大点的我自己戴在手上，一个小点的寄给你，愿你承受了它。”随信寄赠的象征金坚玉洁爱情的象牙戒指，不久就戴在石评梅的手上了，使她对理想、爱情的追求与对爱情的向往趋于一致了。

这是二十世纪初叶文坛上一段有名的佳话。

太谷铭贤学校挽孙中山长联

文 吉

1925年3月12日，孙中山先生在北京逝世后，与孔祥熙渊源深远的山西太谷铭贤学校全体敬赠挽联。全联一百二十四字，是由在铭贤任教的北京孔教大学毕业生赵铭箴所撰。1926年，上海举办全国书法展览，这幅挽联由山西书法家赵昌燮(字铁山)书写，参加展出，受到书法界名流同声赞誉，遂有“华北第一枝笔”之称。

挽联全文为：

千秋定论，万宇衔哀，亘古一元勋。羡主义皇皇，汗青彪炳，正翘企昭回云汉，耿耿南天，桃李挹恩光。萃一生湖海遗踪，荡成浩气，却愁泪坠春风。痛矣！丰碑余姓字。

行易知难，恁前毖后，奇筹三巨著。念襟期磊磊，清白彰徽，更绸缪寥落幽燕，凄凄北空，松楸悲化雨。怅三晋丘陵系梦，展得英灵，恍忆心寒夜月。伤哉！硕果弃江山。

李健吾叶公超劝周作人南下未果

常　风

李健吾，山西安邑县人，字仲刚，笔名有沈仪、石习之、丁一万、郝四山、刘西渭、法眼等，是现代文学史上著名的作家、戏剧家、文学批评家、翻译家和法国文学专家。

我是在六十三年前认识健吾学长的。1929年，我考入清华大学西洋文学系，1925年清华学堂创办大学部时就考入清华西洋文学系的徐士瑚，是高我两班的太原进山中学校友，在西洋文学系和山西同学会的迎新会上，经徐士瑚介绍，我才认识了这位高年级学长。他说一口漂亮的北京话，声音响亮又抑扬顿挫，铿锵有力，再配合上他很巧妙地适当运用的手势和生动的面部表情，非常吸引人。我当时还不知道李健吾是一位“客串”话剧演员，他上小学时就以装扮女孩子闻名于新兴的话剧界。

1931年暑假前，清华的山西同乡会欢送李健吾、徐士瑚分赴法、英留学，我恭逢其盛。1933年健吾回国，中华文化基金董事会编译委员会约他撰写《福禄拜评传》，其后又翻译了福禄拜的小说。我当时在北平艺文中学教书，常为沈从文编辑的天津大公报《文艺副刊》撰文，他也在这张副刊上发表过不少文章，所以常在编辑部聚餐会上相遇。

1935年夏，他应老友、上海暨南大学文学院院长郑振铎之聘，到暨大任法国文学系教授。1937年1月，朱光潜应聘商务印书馆，主编《文学杂志》，朱先生和杨振声、沈从文先生商定组织了一个十一人的编委会，有上海的李健吾、武汉的凌叔华、北京的朱自清、叶公超、周作人、废名、林徽因。朱先生约我担任助理编辑。从此，我同健吾的通信又多了一个内容。

“七七”事变后，北平的朋友们先后南行，都很惦念留在北平的周作人，担心他躲不过日本侵略者的拉拢、利诱以至胁迫。他们不断写信给我，问讯周作人的情形，健吾信中还要我告诉他周作人是否会下海。我把大家的信带给周作人看，周总是很感激朋友们的关切。1938年暑假，南迁的北大西语系主任叶公超先生由昆明回到北平接家眷南行，叶先生还负有代表北京大学敦促周作人赴昆明的使命。我陪叶先生看望了

周作人。过了一天，周作人请叶先生在八道湾寓所吃午饭，俞平伯、徐祖正先生和我作陪。饭后，叶先生转达了他所负的使命，周总是强调举家南迁的种种困难。叶先生重返昆明，使命未能完成。

我将会晤情况函告上海友人，健吾回信中分析，周作人恐怕不会离开北平的。1938年12月初健吾来信说，近来关于周作人的传说又多起来，希望我到周家了解一下。我还没来得及到周家，恰好收到周作人的信，附了他写在一张信笺上的一首新作：

粥饭钟鱼非本色，劈柴挑担亦随缘。
有时掷钵飞空去，东郭门外看月圆。
古有游仙诗，今日偶作此，岂非游僧诗耶！

二十七年十二月十六日写示
常风兄以博一粲

知堂

我把这首诗抄给了健吾，他回信说："劈柴挑担亦随缘"，可见有人拉他下水他就随缘，"大不妙"。

1939年，周作人果然越陷越深当了大汉奸。1940年夏，健吾回北平接家眷南下，我们谈到周作人时只有扼腕。

与高长虹同住一孔窑洞

姚青苗

高长虹是山西著名的安那其主义者，太原一中毕业，留学东瀛，后到北京从事文艺活动，创办狂飙社，是中国新文学运动史上一个异军突起的浪漫主义者。

我初会高长虹是在1941年秋天，当时我在阎锡山的妹夫梁绠武主持的二战区党政委员会挂了一个名，住在资料室。时常来聊天的有陈北鸥、张季纯、陈楚樵、荀笑予几位。梁绠武在重庆开会期间，打来电话，说高长虹要到二战区司令部所在地宜川秋林镇来，叮嘱党政委员会总务处招待他。

高到来时，身着一套蹩脚西装，手提一只皮包，没带行李，风尘仆仆。总务处赶着为他缝制被褥，和我同宿住在一孔窑洞。我睡左炕上，他睡右床上，秋冬夜长，对着一盏黯淡孤灯，又不能阅读书报，于是便时常天南海北地乱扯。现在回想起来，大都淡忘了，只记得他对春秋史兴趣浓厚，时作说论。还记得他几次谈到由欧洲回国途经香港时见到茅盾的情形，他还把应茅盾之请所写的几篇论文的剪报拿出来给我看。其中印象最深的是那篇记述他与许广平交往经过的记录，他说他与许广平相识很早，那时她与鲁迅还没有什么来往，后来听说鲁迅和她通信，且日渐密切，便主动和许中断了关系，可后来鲁迅反而写《奔月》文章来讽刺他。另外，高长虹还写过些关于鲁迅生活习惯、爱好，如喜欢吸什么烟之类的短文，曾在茅盾主编的刊物上发表。

高长虹的皮包里还装着一篇他写的《为什么我们的抗战还未胜利》的草稿，直言不讳地揭露和指斥国民党当权派的腐败堕落与后方社会的混乱、黑暗。我看过之后深为感动，陈楚樵、张季纯、任桂林等同志也都看过。后来在民族革命通讯社工作的马皓同志将草稿油印了七八十份，散发给二战区一部分进步同志传阅。虽然当时的同志会和三青团在二战区无孔不入，但此文并非出自共产党人之手，而是无政府主义者高长虹的手笔，他们也无可奈何，只好视而不见。

1941年底，高长虹想到陕北解放区去，马皓同志为他找到向导，徒步到延安。到延安后，经有关方面酝酿，给了他一个陕甘宁边区文协副主任职务，还在鲁艺兼课。他在延安住了大约五年，1946年随军奔赴东北解放区。1949年病逝抚顺，刚届知命之年。

高长虹的一句话讲演词

侯唯勤

1942年初夏的一天，我们鲁艺三期文学系的生活干事、诗人赵自评同志通知大家，上午周扬同志将陪同狂飙社的高长虹同志和大家见面。一下子激起了我们的惊喜心情，各系的同学潮涌般汇集到文学系的院子里，一时欢笑，喧闹，兴奋不已。

九点多钟，周扬院长并肩陪伴着高长虹同志步入人丛。

大家举目眺望，但见一位身材稍矮、胖墩墩的人健步走来。覆在头上的是斑白的大背头长发，戴一副近视眼镜，双目炯炯，紧抿嘴唇。同学们闪开一个空隙，热烈鼓掌。

这时，周扬院长以学者的风度"咯"了一声，双手向下按，请大家安静，然后笑嘻嘻地看了看高长虹，开始介绍道，"高长虹同志是大家熟知的了。他不远千里，跋山涉水徒步走到延安——"又一阵激情的掌声。

"他从法西斯德国返回祖国，反对蒋介石的黑暗统治，毅然到革命圣地来了！"又是一阵掌声。

周扬院长介绍后说："现在，请高长虹同志

给大家讲课。”并带头鼓起掌来。

高长虹同志身子稍动了一下，望望大家，神情有点拘谨，举起右手说道：“艺术就是暴动，就是起义！”大家等他往下发挥时，却没有了下文。周扬同志请他多讲讲，他仍旧重复了这几句。

当时大家看他只讲了一句，有点不满意。大概他是谦虚，不便班门弄斧。可是这“艺术就是暴动，就是起义”却有深刻的内容，是高长虹同志多年来对艺术研究后总结出的定义。

一本鲁迅答应作序的书

董大中

鲁迅一向热心扶植青年。好些文学青年出版作品，请他作序，他总是慨然允诺。鲁迅一生作序很多，绝大多数是为青年人。答应为田景福的小说集《冬天的事》作序，即为一例。

田景福是山西汾阳县人，自小爱好文艺，在上大学时和在太原青年会作事期间，积极从事文学创作活动；在太原时，曾组织青年文学研究会，主编《青年文学》专刊。他所作歌曲，翻译到好几个国家；所写小说，先后在上海的几家大型杂志发表。1935 年，他计划出一本小说集，便给鲁迅写信，请求作序。鲁迅于这年 9 月 9 日日记有“上午得田景福信，即复”的记载。鲁迅的复信虽未收入《全集》,但田景福记得很清楚,信中说:“您的作品要我作序,不妨寄来。”新版《鲁迅全集》第十五卷第370页的注释中提到此事:“田景福——因请鲁迅为其短篇小说集《冬天的事》作序与鲁迅通信。”

田景福这本小说集共收七篇。作为书名的小说《冬天的事》,写的是一个革命的女大学生鼓动电车工人罢工被捕的经过。故事发生在冬天,气候和形势都是极其冷酷的,说“冬天”,显然含有双关的意义。

其他六篇小说是:《卖鸡子的妇人》、《厨子的故事》、《一个院子里》、《偷柴》、《水警》和《割禾》。其中《一个院子里》、《偷柴》和《水警》三篇,以太原为背景写城市劳动人民所遭受的苦难;《水警》一篇是作者听到赵树理在海子边投水自杀的故事以后写的。另外三篇,写的是农村生活,以作者的故乡为背景,以穷苦人民为主人公。中篇小说《厨子的故事》,直接描写了发生在汾阳城内、轰动晋中的一场“奴隶革命”。这几篇小说是“新文艺之在太原”(鲁迅给“榴花社”信中语)的重要收获。

但是这本小说集并没有出版,鲁迅的序也无从作起。原因是:鲁迅在答应作序的那封信中,还说“有我的序反与通行有碍”,请田景福考虑。田景福想,既然如此,还是先送国民党审查委员会,待审查通过后再请鲁迅作序。于是他给鲁迅写了第二封信,说了这个想法,鲁迅于同月

29日下午收到。结果，收在这本集子里的七篇小说，三篇未刊稿(包括《冬天的事》)全被国民党审委会撤下。留下四篇，不能成书，鲁迅作序的事也就难以实现。

关于石燃社与《石燃》副刊

常　风

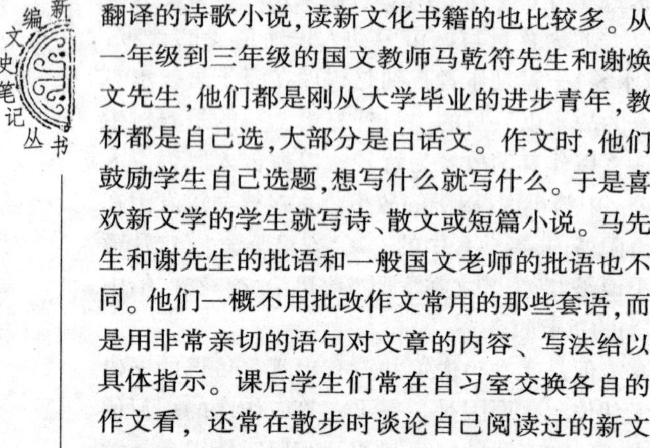

太原私立进山中学成立于1922年，1923年招的新生编为第三班。这班学生喜欢新文学和翻译的诗歌小说，读新文化书籍的也比较多。从一年级到三年级的国文教师马乾符先生和谢焕文先生，他们都是刚从大学毕业的进步青年，教材都是自己选，大部分是白话文。作文时，他们鼓励学生自己选题，想写什么就写什么。于是喜欢新文学的学生就写诗、散文或短篇小说。马先生和谢先生的批语和一般国文老师的批语也不同。他们一概不用批改作文常用的那些套语，而是用非常亲切的语句对文章的内容、写法给以具体指示。课后学生们常在自习室交换各自的作文看，还常在散步时谈论自己阅读过的新文学作品、翻译小说等，有时争论得很热烈。进山中学虽是阎锡山开办的学校，他自己又担任学校总董和校长，可是他并不过问，学校的事情完全由校务主任负责。所以不论在课堂教学，还是学生管理方面，却比省立中等学校自由得多。学生下午下课后，随便到太原两个左派报社买《民国日报》、北京《晨报》、《创造周报》、《语丝》、《现代评论》等报刊。进三班的高仰慰(又名高远征)是狂飙运动的主将高长虹的弟弟，他经常收到长虹寄给他的各种书刊，并送给大家翻阅。长虹把自己编的《弦上》每期都寄好多份给高仰慰，并转送给大家。《精神与爱的女神》，大家也都各得到一本。我们很羡慕长虹一个人就能出版刊物、书籍。1926年暑假开学后，高仰慰(初中四年级)便找了常在一起的杨国荣(杨达三)、狄承青(狄景襄)、辛安亭(辛适然)、宋劭文(宋师昌)、裴毓华(裴丽生)、张琦(张景韩)、席尚谦(席竹虚)和常风商议成立一个团体，以便定期在一起交换读过新书的意见，谁写了不论什么作品，也都拿出来给大家看，由大家提意见并讨论。高仰慰的建议得到大家的赞同，都主张成立一个有形式的组织即“社”。这个社，该叫什么呢?开始时，想要模仿当年《语丝》命名的办法，拣起一本书随便翻到一页的某行第几个字，再翻到另一页的某行第几个字，然后把找到的两个字合在一起来定名，但是一看，并不像个社名。最后宋劭文说，辛安亭的别号“适然”可改成谐音“石燃”两个字，就是极好的社名。大家都同意，于是这个社就命名为“石燃社”(高仰慰、杨国荣和张琦已于1925年和1926年先后加入中国共产党)。有了这个组织，大家就有了定期活动。陆续写的诗

歌、散文、小说、短剧很快积累了不少，大家就想，如果能印出来，该多好！1927年春天，张琦的一位文水同乡介绍到一家新开的报社，答应不定期给半个版面让我们办副刊。如果报馆有重要稿件即暂时让路。大家当然高兴地接受了报馆的条件，副刊就叫做"石燃"，由宋劭文用草书写了刊头。这就是《石燃》副刊的由来。这个刊物只出过五六期就结束了，当时进山中学的教师和学生鲜有人知。因为这个刊物只是昙花一现，六十年来，也只有进三班和其他有过关系的几个人还记得它。

石燃社九个成员中，高仰慰于1927年秋牺牲于由武汉到江西的行军途中，张琦在1943年的整风中去世，其余七人都有幸目睹了人民革命的伟大胜利和新中国的成立，并在党政机关或教学岗位上各尽所能，为人民服务。席尚谦和辛安亭先后于1967年、1988年在兰州病逝。现在健在的，有北京裴丽生和宋劭文，上海狄景襄，太原杨达三和常风，都已是八十几岁的老人了。

诗刊《北风》遭忌夭折

马作楫

山西大学教授王文光、杜任之和李毓珍(余振),于1947年在山西大学建立起民盟山西最早的组织。李毓珍教授负责民盟的宣传工作。我当时是山西大学的学生,在山西的报纸、杂志上发表过大量的诗与散文,受到三位教授的垂青。

1947年底,李毓珍教授同我反复研究,决定办一个小型刊物,定名为《北风》。刊物的基本调子是以诗的形式来争取民主,反对内战。请山大名教授杜任之、王文光、郝树侯撰稿,也酌收外稿。1948年1月诗刊正式创刊。李毓珍教授任主编,主要负责与各方联系,组稿,听反映。我除了撰稿外,还负责编排、校对、发行等工作。《北风》诗刊事实上是山西民盟的地下刊物。

李毓珍教授译过普希金的《皇村怀古》、莱蒙托夫的《死》等名篇。杜任之教授写过《诗的形式问题》和《写我们的时代》等论文。牛汉写过《生活的花朵》。我在《北风》诗刊发表过《预言》、《春神与诗人》等诗。诗刊发行以后,在省内外的进步学生中引起了强烈的共鸣。远在北平、天津的高捷、步星夜等诗人,也寄来他们向往光明、诅咒黑暗的诗篇。

《北风》诗刊除了收到大量的来稿外，还受到知名学者的支持和帮助。比如，山西大学徐士瑚校长、《复兴日报》刘士毅社长、中央社郭从周先生、文艺青年张颔、温秉钊，以及青年教师柴作梓等。

1948年，诗刊正以她自身的充实飞碧流丹时，山西大学训导长张子佩突然传来阎锡山的特务头子梁化之的警告："李毓珍的那个小刊物，究竟有什么用意?劝他早一点停了吧！"几乎与此警告同时，李毓珍教授身受反动当局的迫害，身心受到摧残，不得已奔向兰州。诗刊由1948年1月15日至6月11日，共出了七期，遭忌夭折。

世界名曲译配大师邓映易

文　吉

邓映易译配的世界名曲有贝多芬《第九交响曲》第四章大合唱的歌词《欢乐颂》；舒伯特歌曲集《冬之旅》、《天鹅之歌》；舒曼歌曲集《妇女的爱情与生活》以及英、美、德等国名歌数百首，为音乐界和广大音乐爱好者所热爱和熟知。国内外各地投书向邓求教的不少青少年称她为"邓叔叔""邓爷爷"，却想不到她是一位年逾古稀的老奶奶。

“一二·九”运动爆发时，邓在北京贵族化的教会学校贝满女中读高一，基督教团体的活跃分子大都投入了抗日洪流，唱诗班也改唱抗战救国歌曲。《义勇军进行曲》、《五月的鲜花》、《毕业歌》、《大刀进行曲》的强音缭绕在礼堂后面大藤罗架下，其中必有邓映易的声音。她还在崔嵬领导下到西北一带参加野战演习。崔嵬、张瑞芳主演的街头剧《放下你的鞭子》，所到之处，群情沸腾，邓映易也扮演了群众角色。

1940年，邓在燕京大学读社会学系时，从师史密斯夫人学声乐，以后又在北京、上海投入著名声乐教授哈尔瓦特夫人和苏石林教授门下。厚积薄发，取法乎上，因此她译配的歌曲不但数量多，而且水平高，歌词充分保留了原文诗意，中节中律，琅琅上口，四十余年传唱不绝。

“宋案”凶手武士英

刘大卫

1913年3月20日深夜，袁世凯派亲信收买的刺客在上海火车站将宋教仁暗杀，是为震惊全国的“宋案”，凶手就是山西原河津县通化村人武士英。

武士英，乳名盛娃，父亲早逝，靠母亲辛劳操持家计，艰难度日。武长大成人后，游手好闲，弃母不养。1907年，村人庞全晋(毕业于山西大学堂西学专斋)奉派到贵州担任学堂监督，武随庞前往，初当庞仆从，后充厨子。武士英不甘居于人下，屡次要求回家，庞遂给予盘资，让其返晋,可是武终未回原籍而仍在贵州流浪。时值南方各省革命党人到处举事推翻清室,武即投奔革命党,充当敢死队,转战数省,升为下级军官(一说为营长)。以后又脱离军旅,到了上海,与河南人王阿发同做古董生意。在刺宋前,武曾向当地会党头目应桂馨出售过一对古花瓶,两人因而相识。应桂馨与袁世凯的御用内阁总理赵秉钧、内务部秘书洪述祖早有密约,由应物色杀手并具体指挥刺杀宋教仁。应见武行伍出身,精于枪击,且贪财胆大,遂与之相议刺宋一事。两人一拍即合,应桂馨以一千元收买了武士英。

武刺杀宋教仁后,躲进上海法租界应桂馨家中。公共租界巡捕房巡长卜罗斯、法租界巡长蓝韦埃根据密报,率两捕房中西探捕在一妓院中将应桂馨抓获,并立至应家搜查。在搜查中把应家所有的人一一查问,发现其中一人五短身材,操外地口音,神色慌张,自称名叫张福铭,山西人,因向应桂馨出售古画借宿于此。卜罗斯见其形迹可疑,就派人去火车站,请来案发时曾见过刺客一面的西崽辨认,西崽一看就说:"就是这个人,那天晚上他开枪后拼命奔逃,还跌了一跤,几乎被我捉住。"张福铭一听,脸色骤变,经带回巡捕房审讯,终于供出真名为武士英。

武被捕后案未终决而死于狱中,村民闻讯编唱词谴之,唱词曰:"弃家抛母,不认至亲,为袁效命,为财丧身,民族败类,国家罪人。"

孔祥熙两次荣归故里

孙东元

孔祥熙是山西太谷人，在他就任南京国民政府要职之后，曾前后两次荣归故里，仅就我当时见闻记实如下。

1934年夏天，孔祥熙以国民政府行政院副院长兼财政部长的身份首次回归故里。我当时正在太谷铭贤中学读高中。为了迎接这位铭贤中学的老校长，全校师生欢声沸腾，崇圣楼院以西的校内悬灯结彩，比过灯节还要热闹。学校代理校长乔辅三忙里忙外，不可开交。太谷县长李腾蛟坐镇门房，迎接客人。校园里设置多处炉灶，聘请名师掌厨，大摆宴席。孔这次归来，还在城内购置了孙培基家的花园别墅，使这座明代财主的房产，变为孔府新邸。

孔祥熙第二次荣归故里，是在1947年7月。某日上午我在川至医专校长办公室接到太原绥靖公署交际处宋献文处长电话，告我绥署阎主任让我速到武宿机场，以铭贤同学会太原会长的名义去迎接孔祥熙，并且嘱咐我要带救急药品，以防孔发生脑心血管意外。我赶到机场后，看到下机的客人中，有孔的外甥赵基礼。我和其兄赵基禧，是北平潞河中学校友，又是同舍舍友，因而一见如故。孔先生对我也甚感亲切。当晚阎锡山在绥署东花园为孔接风洗尘，我们铭贤校友也忝列末座奉陪。筵席散后，孔下榻于太原精营西边街中央银行二楼为他设置的行辕住处，让我为他检查了血压和心脏，我方才离去。

翌日早晨，孔在王靖国、杨耀芳两将军陪同下，由太原乘专列到太谷，我作为负责保健人员也陪同前往。车到太谷站，驻军司令赵承绶首先登车接驾，太谷绅士孟兴富手举大红拜帖作揖致敬。下车后先乘车去杨家庄铭贤学校东侧孔坟祭祖，以后由拳师布学宽带路视察了铭贤学校，走访了学校南院教工宿舍。中午进入太谷城内，到孔胞弟祥记公司老板孔祥吉住处进午餐，品尝了名厨喜元只掌厨的饭菜。以后又参观了孔家历代祖辈穿过的官服靴袍。这次归来，我还受孔外甥赵基礼的请求，为孔购得两麻袋“沁州黄”小米，供孔侨居美国食用。

孙殿英投阎豪赌

赵承绶

1928年孙殿英盗东陵后，全国各地报纸纷纷大加责难。一向与孙有隙的人，也借此机会纷纷攻击，企图搞垮“孙老殿”。清朝最末一个皇帝溥仪也向当时的国民政府告状，要求严查盗陵案，惩办孙殿英。其时，阎锡山正是平津卫戍司令，虽然名义上组织了军法会审，实际上采取了“不因为逊清的死人而得罪活的军人”的办法，暂时扣押了孙的一个部属，欺骗社会舆论。孙殿英想到情势确实对他有很多不利，除把盗陵得到的贵重物品，分送给宋美龄和有关要人外，决心要找一个有力的靠山，一以掩护自己，一以做扩张实力的后台支柱。

当时，蒋介石、冯玉祥、阎锡山、李宗仁等大军阀集团，正因为争夺地盘和实力，明争暗斗，互相攻讦。蒋、阎、冯都想拉拢和利用孙殿英，而孙殿英却有他自己的打算，不肯贸然从事。他曾抗拒过蒋介石要他开驻安徽一带的命令，也曾勾结过张宗昌对蒋有不利行动，知道蒋介石对他不会有好感，终久不免要收拾他，绝对靠不得。冯玉祥一向对孙有意见，孙也觉得冯不大可靠，不能依附。张学良远在山海关外，李、白远在南方，向无瓜葛，接近无门，实际对孙也不能有什么帮助。只有当时占领平津和华北几省的阎锡山，在北方最有势力，盗陵案中又袒护过他，而且阎锡山初从娘子关里出来，正想收买华北“杂牌”军阀，巩固地盘，扩大力量，与蒋介石争衡。孙觉得投靠阎锡山，倒是很好的机会。

1929 年 10 月间，阎锡山按照蒋介石的命令，亲到河南“讨伐”唐生智，孙殿英正驻在洛阳一带。阎抵郑州后，获悉孙的处境，认为是收买

孙的大好机会。两相情愿，一拍即合，阎锡山立即委任孙殿英为军长，仍留驻河南。从此，孙殿英如愿以偿地投靠到阎锡山门下了。

阎锡山回太原以后，知道他的嫡系高级军官如杨爱源、孙楚、赵承绶等，对收编孙部有所不满，都认为自己是阎锡山的功臣，孙殿英是土匪出身，不甘心孙和他们并列为军长。因此，在一次会议上，阎特意对大家说："我早想把收编孙殿英这件事和你们说说，你们不要小看孙殿英。你们都是军官学校出身，是靠我给你们发上枪炮，拿上钱，还培养了你们多少年，你们才能建起军队，当上上级军官。人家孙殿英是白手起家，队伍是自己成的，枪炮是自己买的，人家是个创业打江山的人，人家能靠盗东陵、卖料面、赌博赚钱维持军队，你们就办不了这些事情。再说，咱们不把他收过来，让蒋先生收过去，也只能增加人家的力量，也会对咱不利。"阎部高级军官对阎锡山的所作所为，无不唯命是从，但阎锡山一向假仁假义的伪善面孔，在这段话里，也完全暴露在他的高级军官面前了。

1930年春，孙殿英亲自到太原向阎锡山"谢委"，阎又授意其高级军官要好好招待，多方拉拢。于是，由当时的几个军长，王靖国、张会诏、孙楚、赵承绶、李生达、杨效欧、冯鹏翥等十多人，在太原东米市大街新美园饭庄为孙殿英洗尘。席间对孙大肆周旋，互相吹捧，最后交换"兰谱"，成异姓兄弟，推孙做老大。这样，孙殿英就

在太原暂时住下，进一步做依附阎锡山的工作。

孙殿英一向是诡计多端的人物，他心里很清楚这种结盟兄弟的用意。因此，很想在山西另行物色更容易被他利用的人，替他在山西做内线工作。当时，卢丰年因故被阎锡山撤去军长职务，遂进一步和卢结交，并声言要替卢丰年解决经济问题，在卢家开设赌场，呼朋唤友，大搞赌博。名是为卢丰年“抽头”集钱，实际是从山西将领身上吸取点油水，而山西将领为了应付孙殿英，纷赴卢家赌起来，连一向不爱赌博甚至厌恶赌博的几个人，也要拿上几千元去应付应付。孙殿英是有名的赌棍，所有参加赌博的人，自然全都输给孙。抗日战争初期被阎锡山枪毙的李服膺(当时也是阎部军长之一)，赌上火来，一晚上竟输了十四万银元，闹得满城风雨，人言啧啧。这一场军阀滥赌的丑剧，才不得不暂告结束。这时候，孙殿英确是喜气洋洋，满载而归，殊不知以此结下了山西将领更加厌恶他的根由。

短命的“中华国家银行”

郝建贵

1930年4月军阀中原混战爆发。战争伊始，阎锡山指挥的七十余万杂牌军在津浦、陇海各线屡获胜利，阎得意忘形，不可一世。就在民国

19 年(1930 年)9 月，在北京召开了中国国民党中央党部扩大会议，另组国民政府，推定阎锡山为主席。阎于 9 日上午 9 时正式宣誓就职。这就是史称的所谓“四九小朝廷”。

基于这种形式，山西原有的地方金融机构已不适应，于是决定成立“中华国家银行”，即作为支持战争的经济后盾，也为战后成立新的“中央银行”做准备。银行组成后，制定了《中华国家银行条例》和《中华国家银行兑换券暂行章程》。章程的第一条规定：“本银行有发行兑换券之特权”。第五条规定兑换券之用途：(一)完纳国内一切赋税。(二)购买中国铁路、轮船、邮政、航空等票并交纳电报费。(三)发放官俸军饷。(四)一切公款出纳，商民交易。

中华国家银行的总行设在北平，行长由阎氏的叔丈人、时任山西省银行总经理的徐一清兼任。一般工作人员由省银行选调。为给中华国家银行以后扩充机构，培养、输送人才，还在省城太原龙王庙街专门设立了一所“银行学校”。

然而，好景不长。仅过了一个来月，因蒋介石派人活动东北军的张学良获得成功，张由山海关出兵，威胁平津，阎军腹背受敌；再加上内部互相猜疑，互相倾轧，前线发生动摇，形势急转直下。汪精卫的扩大会议和国民政府人员，从速由北平迁往太原，“中华国家银行”也于 10 月 3 日转移到太原办公。此时，阎锡山为稳定军心，欺骗民众，以陆海空军总司令名义发出《布告》，

"……查该行奉令移晋营业，准备十足现金，信用昭著，所有发行之各种兑换券，自应有各省政府剀切布告商民人等，完粮纳税，买卖交易，一律通用，倘有拒不收受情事，从严取缔，以资流通，而巩固金融。"

不数日，由阎(锡山)冯(玉祥)指挥的倒蒋军队节节败退，阎锡山匆匆逃亡大连。喧赫一时的"中华国家银行"也就销声匿迹了。

二战区执法总监 张培梅负气服毒

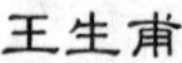

张培梅，字鹤峰，山西崞县中泥村人，生于1885年。清末秀才，后又毕业于保定陆军速成学堂。同盟会员。辛亥革命山西军政府成立后，在军中供职多年。张培梅对阎锡山一贯抱诚守真，颇得阎之赏识，遂在七年之内由排长逐级擢升为旅长、晋南镇守使。1924年直奉战争始，阎又委他为左翼军总司令。张培梅决心不负重托，欲大振军威。时刘树藩、龚凤山两个旅长谎报军情，张即严令正法。阎则猜疑张心有变，速派赵戴文到张部监探虚实。张培梅负气难忍，愤而借故归里，隐居十二年之久。抗战始，张培梅要求抗日，阎锡山才又委以第二战区执法总监。

1938年2月，日军发动晋南战役，王靖国率十九军在隰县石口、崔家凹、川口一线设防，负责掩护二战区司令部。由于王靖国抵抗不力，致使二〇五旅旅长赵锡章、七十二师的刘崇一团长及一百二十余名官兵全部牺牲，川口等要地也相继失守。张培梅得知实情，便找阎锡山说，王靖国在平型关战斗中避实就虚，消极抵抗，未绳之以法，反由师长提升为军长。这次川口、石口战斗中又损兵折将，罪当处决。阎反说王靖国为他保存实力有功，理应如此。接着，张又向阎请求愿亲率一旅之众与敌决一死战，阎又婉言拒绝，不准所请。无奈，张便将警卫团郭团长叫来，要他带兵立即到前防打仗。郭不从，说他接受的命令是保卫总监和省长，没有阎长官的作战指示，不敢擅自行动。张培梅无计可施，即将两个儿子叫到身旁，交给高参王文广中将说：老弟，你把他俩带到长官部，亲自交给阎老总，就说我张鹤峰希望老总能给他们一点工作，不要叫我的家属再讨饭了。话毕，将头沉沉地垂至胸前。稍停，继而又大声说：王靖国这些草包们，怎也不能取胜。该杀的东西！

隰县失守，张培梅偕同赵戴文由北窑转移到午城。正好张的大儿子回来，张便叫他熬了二两大烟土倒在杯内，命子外出。子不从，张大发雷霆。子急忙找赵戴文本看，张已将大烟土吞下。赵速招军医来治，张拒不允救。赵即跪在张

面前求他吐出烟水。刚吐至咽喉,复又咽下。抢救无效,张培梅于1938年2月26日死于隰县午城镇,终年五十三岁。

胡希珍犯赌伏法

曲子祥

1938年,阎锡山呈请蒋介石,对烟赌犯要处以死刑。蒋批准阎的申请后,首先以身试法的是晋绥军的军官田某等三人,第二案就是胡希珍赌博案。因胡案经历曲折风趣,我始终没有忘怀,特意追记如下。

胡希珍是郭殿屏的副官。郭殿屏是阎锡山的元老重臣,曾任过山西大都督军政府的书记、山西督府的军需课长、太原绥靖公署的军需处长。胡希珍和郭殿屏的二女儿郭黛云关系暧昧,人言啧啧。1938年冬,胡希珍因赌博被扣押在陕西宜川县第二战区执法总监部。胡被扣后,郭殿屏自认为和阎有二十多年的君臣关系,找阎当面说情,不想阎淡淡道:"你的家庭搞得乱七八糟,你无法整顿,我不得不替你管管,你反来说些什么。"郭感到事态严重,不敢再私下活动。

第二战区执法总监谢濂为人世故,他侧面听到阎对郭的说教后,认为杀掉胡希珍符合阎的意图,郭也不会怪怨自己,即判胡死刑,将公文呈送长官部军法处核批。长官部军法处也获悉了阎的意图,就批了“如拟照准”四字。当参谋长楚溪春呈阎划行的时候,阎却对楚说:“古时杀人的公文,上下来往需要一车纸的公文才能决定,杀人岂是小事,不能这样马虎。”阎将呈文搁置不批。胡希珍案成了游案,渐渐不复为人注目。

胡希珍的老婆住在宜川县城,一向不安分,胡被押后,她结识了阎锡山的内勤副官胡某,此人专为阎锡山的二夫人徐兰森铺床叠被,日侍左右。当胡希珍的老婆向副官胡某提出求救后,胡某就找徐兰森说情。1939 年春某日,徐兰森和阎锡山吃完早饭,闲话家常时顺便道:“胡希珍还被扣押着,赌博小事,也该放出来了!”阎锡山闻言,勃然变色道:“为什么搁到现在还没有枪毙?谢濂尽做甚事!”阎当即让侍从长张逢吉给谢总监去电话:“马上将胡希珍枪毙。”很快,胡希珍就被枪毙在宜川县城西门外。

阎锡山开始对胡希珍为什么不立即执法,以后又为什么立即要杀,这不是他左右的人能想到的。胡希珍的老婆为救丈夫不惜牺牲色相,没想反倒作了丈夫的催命鬼。

冯玉祥以生铁圪蛋为阎锡山祝寿

徐崇寿

1939年农历九月初八，是阎锡山五十五岁寿辰。当时第二战区司令部驻地在陕西宜川县秋林镇。祝寿这天,其中有一位远客带着一份用红布包裹着的礼物，自称是冯玉祥将军派他给长官拜寿来的，说着便取出一封冯玉祥的亲笔信。阎看过后,脸上露出欣慰的神色,命左右随侍副官解开包袱,要看一下这份礼物。谁料打开一看,原来是用红纸包着一块生铁圪蛋,纸上写着一个大寿字。阎大吃一惊,命左右赶快把包袱收起。冯给阎的信大意是说:兄弟阋于墙,外御其侮。今天抗战的形势和前途是共同团结抗战则生,彼此力量对消则亡。望吾弟三复斯言。

当时冯预见反共逆流即将发生，故以生铁圪蛋比喻团结的力量，与阎推心置腹，忠言相告,一时传为佳话。可惜,阎并未听此逆耳之言,于是年12月3日制造了反共的“十二月事变”即“晋西事变”,迎合了蒋介石国民党政府早已策划的第一次反共高潮。

以上这件事是1940年夏天,阎的内勤队长张逢吉传话让我整理阎的私人信件时发现的。据张逢吉讲，那块生铁圪蛋送到了乡宁县兵工厂。当时我的职务是阎的家庭教师兼秘书。

妙联讥讽汪精卫

张居温

抗战中,汪精卫当汉奸后,有人给他写了一副对联,联云:“昔有盖世之德,今有罕见之才。”此联意美音美自不待言,但快读之则成了“昔有该死之得,今有汉奸之才”,这才是此联真正妙处所在。下联,今人一看便知。上联,是谴责 1911 年汪精卫暗受袁世凯之命，以南下襄赞南北议和为名,实则搞抬袁倒孙(中山)之实,以形成临时大总统非袁莫属的可耻行径。

阎氏不参加“副总统”竞选换粮款

宁梦喜

1947 年,蒋介石在内战失败中,仍在粉饰民主,高喊“行宪”,举办国大选举。

在山西活动的民社党、青年党出席国大代表的名额,统由蒋政府事前分配,也得到阎锡山的承认。山西民社党的领导人是阎锡山的亲戚梁上椿,活动在太原、大同、阳泉等地。青年党的领导人是大学教授常乃德,活动在教育界,太原大专院校一些人参加。1947 年六七月间,各自按分配名额选出自己的代表,与山西各县代表同赴南京参加国大。

山西各县代表的产生,由于全省除晋南临汾、晋北大同和太原附近三、五个不完整的县外,其余大都解放,根本谈不上民意选举,完全由阎锡山在太原城内的各机关、学校干部中指定的人选出席。我就是被指定的一名“国大代表”。

临出发前,阎给每人发了二千元的旅费和一张西北实业公司出产的毛毯,由梁化之统一领导,于 3 月 25 日乘专机转北平去南京。

到南京后,梁化之在山西驻京办事处召集全体山西代表说:“这次会议主要是选举总统、副总统,咱们头儿(指阎锡山)已表示不参加竞选,我们的主要目的是向蒋要一大批粮款,解决我们的军粮和保卫太原的工事建筑费。昨晚,我见了蒋,已得到慨然允诺,希望大家不要向各方面乱跑。也不要在外边说长道短,行动要一致,避免意外的物议。”

4 月初,各省代表陆续到南京,先由各省负责人交谈酝酿总统、副总统候选人情况。大会是由蒋家政府操纵的,蒋介石任总统已成定局。主要矛盾是在副总统竞选问题上。蒋系坚持以孙科为副,桂系拥护李宗仁为副,两个派系相争,各不相让。陪同竞选的有东北的莫德惠、湖南的程潜和国民党元老于右任。孙、李之争坚持不休,美国大使为缓和竞选空气,提出以胡适为总统竞选人,若把蒋介石胡适两个名字联成一气,解文释义,那不叫人说蒋介石何所往耶?你往哪里跑呢?显然是不祥之兆,不好! 第二天,大会过后,又贴出一张无名壁报,提出以国民党元老居正为总统竞选人,说蒋中正居正两个名字联结起来,那不就是蒋中正总统居了正位?这多好呀!究竟由谁陪选?仍然摸不着底细。

在竞选过程中为了拉票,各位副总统竞选人对代表们都设宴招待。吃饭之后,一般代表免不了游逛游逛。有的瞻仰中山陵,顺便看看明孝陵;有的转转鸡鸣寺和莫愁湖;有的到五洲公园;还有的过了秦淮河找个算命相面的,问问自己的功名前途,作些无聊的消遣。

定期选举的时间到了。当天早晨,白崇禧调驻皖省的军队突然进京,把持了各要津路口,传闻是要以武力竞选了。一时南京城内十分紧张。当然各省领导人的接头会和一些幕后调处会,忙了一个早晨。饭后进行选举,果然有效,顺利进行了投票选举。直等选举揭晓,蒋中正为总统,李宗仁为副总统后,会场上报以热烈的掌声。蒋夫人宋美龄、李夫人郭德洁向大家频频点头，拍手致敬。有些捧场者把两位夫人高高举起，在会场内穿南走北，由东到西，闹了一阵。喧嚷多时的一场行宪的国大会议，就这样结束了。

贺绿汀过吕梁

高玉山

我是离石县抗日武工队敌工站安插在离石日本宪兵队的“中宪补”便衣。利用这种身份，1943年在太原中共地下党组织安排下，通过日伪军政内部的关系，将我国著名音乐家贺绿汀同志从太原送到了革命圣地延安。

这年春夏之交，我和日伪离石县警察所副所长李裕堂(李与我武工队有联系)应差到了日寇盘据的太原城，住在楼儿底街“梁园春”旅社。一天，李裕堂神秘地对我说：“方山县长范采章(阎锡山所属二战区县长，与我武工队也有联系)

托咐护送一位抗日干部,想请你帮个忙。我随口答应说:“你和范县长让我帮忙,哪有不帮之理?”

第二天早饭后,李裕堂引来一位四十出头的男子,高身材,两眼炯炯有神,头戴礼帽,穿着长衫,手提一件音乐器具,说一口湖南话,我们寒暄几句后,就确定第二天动身回离石。恰好,第二天离石警察所的汽车来太原办事,司机刘生玉是我的好友,这样,我们三人便搭此车离开了太原。不巧,车到交城,出了故障,只得中途住宿。我和李裕堂再三考虑,决定住在他的好友、日伪交城县警察所所长黄家驹家中。

对这位抗日干部的姓名、身份,大家不便细问,均以贺先生相称。

初夏的交城,有点闷热,我们怕出意外,不敢去外面乘凉,一直呆在黄的家里。七天后,我们乘刘生玉的汽车到达离石。为避免日伪便衣干扰,将贺先生安顿在东关李裕堂家中。时隔三日,我和离石抗日武工队政委阎子诚接上了头,约定将贺先生送到离城十里的枣架村阎兴玉家,由敌工站派地下交通员来接应。为了旅途安全,我以李裕堂亲戚去枣架村探亲为名,和站岗、搜查、巡逻人员都打了招呼。经过周密准备后,决定次日下午护送贺先生由离石城去到枣架村。次日中午,临行前,李裕堂在家设便宴款待贺先生,饭后,贺先生由李裕堂的侄儿李焕用自行车带上,我另骑一辆自行车带上贺先生的书籍、提琴等，顺顺当当地过了离石城西路卡，安全地穿过日寇封锁线，按预定时间，来到了敌我交叉区枣架村接应地点。这里，早有我武工队交通员刘寿春、阎二奴在阎兴玉家中等候。贺先生同大家一见面，喜形于色，才第一次向我们说出自己的真实姓名，我才知道，他便是久闻大名的贺绿汀先生。

晚上，阎兴玉给贺绿汀吃了吕梁山区特有的“钱钱汤捞饭”，贺风趣地说：“这比上海、长沙的丰盛宴席还香美哩!”尔后，又有梁家会的梁绳儿、杜乃成，梁家山的梁候喜、梁国成，李家洼区敌工部负责人杜学才等许多革命同志一站接一站地将贺绿汀同志顺利地送到了他日夜向往的党中央所在地延安。

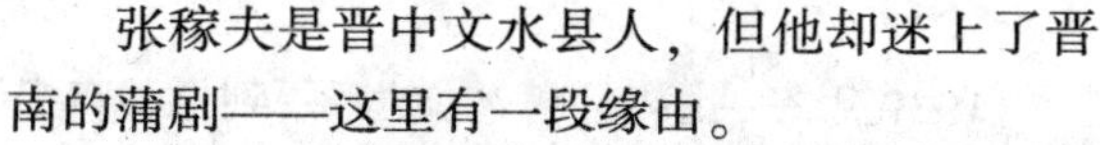

张稼夫为什么迷上了蒲剧

苏　光

张稼夫是晋中文水县人，但他却迷上了晋南的蒲剧——这里有一段缘由。

1927 年大革命失败后，太原的形势发生逆转。组织上为保证张稼夫的安全，决定让他到相对平稳的晋南一带躲一躲。这年初夏，他起身到襄汾一带的小山庄。从此白天隐藏，晚上出来看戏。有时跟着台口走，几乎天天如此。“看戏”成了他这段时间的主要任务。为了隐蔽得“像”，他看戏时总是和观众们在戏场里一起挤，日久天长居然还能摹仿着蒲剧的唱腔唱两句“乱弹”。后来他当上了“村长”，照样不停地看戏。

抗战开始，张稼夫在晋西区党委任宣传部长，为了宣传抗日，需要经常到农村去演讲，做组织发动工作。一次，他们正在演讲，旁边有一个唱“洪洞道情”的老艺人在演唱。老汉手拿渔鼓简板边拍打边唱，结果把听众都吸引了过去。第二天，张稼夫找到这位老艺人，动员他参加革命队伍。以后民运队凡是出去宣传，就先唱一段“道情”，这果然很灵验，不用挨门挨户地去叫，人就自然集中起来。晋西区党委总结了这一经验，决定成立剧团，这个剧团就是“七月剧社”。

这段经历是稼夫同志亲口对我讲的。

从《黄河》看二战区的革命

青　苗

1939年春，我离开鲁艺文学系，到二战区黄河出版社当编辑。当时黄河出版社名义上为二战区政治部领导，实际上它是牺盟会的出版机关，负责人是我的同学与挚友赵荣国(石宾)。该社出版了《黄河战旗》，后改为《政治周刊》，牺盟会的领导和核心人物差不多都在它上边发表过作品。石宾当时邀请马延龄主编文艺刊物《黄河》,编辑有我、邢立斌、冯牧、刘漠冰、陈联葵等。《黄河》第一期的封面是力群制的版画,首篇刊登了我的小说《黄的激流》,还有许多延安同志的稿子。为了充实和扩大稿子的来源,石宾派我去延安约稿。记得那是 1939 年的金秋时节,即 12 月晋西事变之前,当时统一战线内已有了磨擦,但还未完全破裂,从秋林去延安很方便。我到延安后,即到母校鲁艺,见到沙可夫和教务处负责人徐以新。徐很年青,长得英俊,好打篮球, 当时大家都知道他是贺龙的干儿子, 又是“二十八个半”中那半个人物。我首先向他汇报了二战区的情况,特别是文化界的情况。我说,延安有抗大,二战区有民大;延安有鲁艺,二战区有民艺;延安有新华社,二战区有民革社;延安有解放出版社, 二战区有黄河出版社和西线出版社;延安有边区文协,二战区有文抗。徐以新听到我的汇报后很高兴,连声说:“好!好!好!”我说:“这是对革命老区的模仿和抄袭呵。”徐说:“我们就需要和欢迎这样的模仿呵!”我玩笑地说:“这不过是演个双簧吧!”

这已是半个世纪之前的事了。要说的是:这个“好、好、好”的双簧局面并不是容易的,当时充满着复杂的矛盾。众所周知,阎锡山是政治上的老演员, 几十年的土皇帝生活给了他许多政治经验,他既要抗日,又要排蒋。牺盟会之所以能够在阎统治的地区产生, 是阎想利用共产党和进步势力。但共产党和进步势力也不是傻子，他们也要利用阎来展开革命工作，在互相利用的政治斗争中却演出许多台好戏。

十一岁投效“丁玲团”

李百万

1937年11月是我的家乡山西赵城县(现并于洪洞县)最混乱的年月。娘子关、太原相继失守后，晋绥军、国民党的嫡系部队纷纷撤到洪洞、赵城一带，日寇还不断向晋南进攻。人心惶惶之中，传说四起，说赵城县来了朱毛领导的八路军和西北战地服务团，不过后者在群众的口碑中不称正式番号，而亲切地叫作“丁玲团”。

果然，他们在城里城外开展了抗日宣传活动，唱歌、演戏、讲演。这支队伍的到来给老百姓以希望，增强了抗战信心，不少青年走出家门参加了八路军。我听说“丁玲团”收小孩兵，想参加这个抗日集体，但家里大人一出门就反锁上大门，我一个十一岁的孩子怎么也出不去。

一天，大人们忘了反锁大门，我壮着胆子，拿了几件衣服，穿过小巷直奔城门。到了城外心情稍稍平静后，就一溜小跑过了汾河，打听清路，就朝丁玲团的驻地马牧村赶去。

天色擦黑，赶到马牧村，炊事班的老红军先

让我吃过饭，告诉我等大队演出回来再领我去见领导。约十点钟左右，果然把我领到儿童队，当晚就睡在队长屋里的炕上。早晨起床后，队长引我到一个大院里见丁玲同志。

出现在我眼前的是一个个头不高的女兵，人有点胖，很有精神。她望着我，好像能看透一个人的心灵。她说话很和蔼，像妈妈对待孩子似的。她问了我家庭和个人的情况，又问为什么要当兵等等。我当时很紧张，但总算都答上来了，期待地望着她。半晌，她摸着我的头说："好好地学习。"队长把我带回儿童队，交给一个女同志，开始教我跳儿童舞，我被正式留在西北战地服务团儿童队当队员。

在丁玲同志的直接领导、教育和关怀下，我学会了一个革命文艺工作者应有的本领，后来成了演员，在电影《白毛女》中扮演过大春，还演过其他不少主要角色。

晋西北有张《大众报》

束　为

1939 年底至 1940 年初，山西新军在八路军支持下，打败了以山西顽固派为急先锋的第一次反共高潮以后，晋西北建立了统一的抗日民主政权，开始了根据地的全面建设。在文化方面，区党委首先创办了《抗战日报》，不久又创办了《晋西北大众报》。在区党委改组为中共中央晋绥分局之后，《晋西北大众报》随之改称为《晋绥大众报》。当时的晋西北各方面都很落后，许多地方的生产方式还近于原始的刀耕火种，广种薄收，加之十年九旱和阎锡山政权的压榨，农民生活十分困苦，破衣烂衫，糠菜半年粮。新政权建立之初，岢岚县深山里，竟有十来岁的女孩没有衣服穿。由于生活极其贫困，文化自然落后，识字的人较少。民主政权建立之后，一面坚持抗战，发展生产，一面大搞文化建设；除了发展正规的教育事业，还大规模地开办冬学、夜校、识字班、读报组、黑板报等，帮助农民提高文化。大众报的出版就担负了传播文化、宣传时事政治的任务。

这是一张用麻纸铅印的四开两版周报，以后改为四开四版五日刊。它的读者是根据地农村干部和经过扫盲的农民。区党委指示的办报方针是：粗通文字的人看得懂，不识字的人听得懂，图文并茂，尽可能选用当地群众语言，每期所用单字不要超过一千字。用一千个单字办一张报纸是多么困难啊！编辑人员在选稿时既要选用当地群众语言，又要注意把那些生僻的、不合语法的、不易懂的词句改为通俗易懂的词句。过一两个月或几个月，编辑人员对于用字要集体检查；检出一张报纸，逐字逐句将不重复的字排出，看看是否超过了一千个单字，以便于改进工作。这项检字工作,一直没有间断,有时编辑人员还向所在村的农民读报,听取他们的意见。

《大众报》的主要版面,发表由农村干部和小学教师组成的通讯网供给的来稿,也发表国内外新闻时事。新华社的电讯稿一般要改写,以适应农村粗通文字的读者的阅读能力。有世界大事栏目以扩大农民的眼界,有科学常识栏目以增长农民的科学技术等农业知识,有文艺栏目,刊登一些短小的战斗英雄、劳动英雄的故事,过年过节要刊登新编对联和演唱材料。马烽和西戎合写的长篇章回小说在这张报纸连载时受到广大读者的热烈欢迎。

《大众报》最早的负责人是王修,以后是樊希骞、吉哲、马烽、柴守仁。从1940年创刊至1949年停刊近十年间,负责人多次变更,大众化的办报方针一直不变,卓有成效地实践了毛主席提出的“民主的、科学的、大众化的”文化方针和三十年代左联提出的“大众化”的口号,其意义不可低估。

编印识字课本交公粮

束　为

在四十年代,为了减轻抗日根据地群众的负担,晋绥边区的干部都要交公粮。数量自报公议，量力而行。有交一石两石的，有交三斗五斗的，方式多种多样。可以开荒，可以向农民借轮休地，种粮种菜均可，可搞手工业，如卷烟、磨豆腐、生豆芽等，集体单干不拘一格，也有以发表文章得到的稿费(小米)交公粮的。不论数量多少，何种劳动方式，要力争完成任务，超额归己。

1945 年初我们《大众报》编辑部正讨论交公粮任务时，听说边区政府教育处计划编一册小学课本。我们找到教育处杜心源同志，他听说我们要参予此项工作，很高兴地委任我们编一册全边区通用的农民识字课本，以代替各县区自编的油印课本，由新华书店发行。要求内容要新，结合本区实际，通俗易懂，要以能阅读大众报和通俗读物为准。三十二开本，字要大，一页一课，每课不要超过二十个字。最后杜心源同志说，课本编出之后要给报酬，而且数量较多。我们合计了一下，如果得到这份报酬，全编辑部的公粮任务就有了保证。如果自编自印，那就会大大超额。同志们自报了任务后，就开始编写工作。当时分局宣传部部长是张稼夫，副部长是周文，他们热情支持我们编写识字课本。编写课本并不困难，那时编辑部的负责人是吉哲，编辑有马烽、西戎、张友、邵挺军、路克军、李文辛，还有我。平均一人编五课，编出后送教育处审查修改，很快就定稿了。第一课是：中国共产党万岁，伟大领袖毛主席万岁。编课文前后只有半个月，而印刷却花了半年多的时间。为了节支增收，不

送印刷厂铅印，而是刻字水印，虽然难度很大，大伙却干劲十足。最忙的是美术编辑赵力克，到处找木板，梨木板找不到，就找柳木板、杨木板、榆木板，各种木板找来几十块，自己锯自己刨。赵力克忙坏了，每个字是翻写在木板上，他刻出图画的线条以后，我们就用刀子挖空白。为了赶工，刻出一板就抓紧印刷。这种原始的手工作业把我们的业余时间全部占去了，白天干，黑夜点上麻油灯干。没有油墨，就用清水调锅灰；没有棕皮就用麻皮代替。本地产的马兰纸过于粗糙，每拓一幅都要用很大气力。印数太多，木板裂纹要用钉子铆住，用绳子捆住。装钉用铁丝，封皮用浆糊贴。赵力克的裁纸刀派上了最好的用场，每册课本切割得整整齐齐。新华书店的同志收到这册识字课本时赞不绝口。

我们这个编辑部兼手工业作坊，经过半年多的劳动，为边区政府节约了一大批印刷费，也圆满地完成了交公粮任务，而且还有节余，编辑部的同志们每人分得了一些边区票，来了个皆大欢喜。

和敌人拼刺刀的音乐家

唐仁钧

多少年来，我一直怀念着我的战友朱杰民同志。

杰民同志是重庆人，1939 年，我们在长治李伯钊同志为校长的民革艺校相识。那年夏天，日寇进攻长治，民艺同学分为三队下乡工作。我当时化名何令夫，任三队指导员，队长即朱杰民。作为音乐教官，他作的歌《保卫晋东南》、《保卫华北根据地》，铿锵有力，慷慨激昂；他写的民歌《防空歌》、《劳军歌》，委婉曲折，悠扬动听。

由于工作关系，不久我们分开了。几年后，我返到冀南，才听说朱杰民同志英勇牺牲了，悲痛万分，却不知详细情况。

几年前到哈尔滨，见到了当年民艺美术教官杨角同志，他目睹了杰民牺牲的场面，追怀故友，老泪纵横。

那是 1942 年 5 月，日寇进行“扫荡”时，他随总部转移，遭遇敌人杰民同志从身边的民兵手中要了支步枪，随即和日寇拼刺刀，刺倒两个日寇后，被敌人刺死。文艺家本不以直接拼杀为主要战绩，杰民同志正如他的歌词那样“心如热火，血如泉涌”。与敌人英勇搏斗是多么壮烈啊!

赵树理舌战高泳

云　青

1941 年秋天，太行山抗日根据地的腹地黎城县发生了反革命的离卦道暴乱，引起根据地领导的极大重视，认为我们在军事上打了胜仗，在文化上打了败仗，必须作一番检讨，加以改进。于是 1942 年初，一二九师政治部和中共晋冀豫区(即太北区)党委联合召开了有近五百人参加的文化人座谈会，讨论如何在文化上战胜敌人的问题。

赵树理参加了这次座谈会，并在第三天发了言。有人这样描写赵树理发言的情形：

正当大家争论不休的时候，赵树理起立发言了。他不慌不忙地从怀里掏出一本黄连纸封面木刻的小册子来，说他介绍给大家一本“真正的‘华北文化’”。于是他高声朗诵起来：“观音老母坐莲台，一朵祥云降下来，杨柳枝儿洒甘露，搭救世人免祸灾——”念了不多几句，引得哄堂大笑。但赵树理却非常严肃地说：“我们今后的写作，应当向这本小书学习，因为老百姓对它是熟悉的，只要我们有强烈的内容，这种形式最适合工农的要求了。”又说：“这种小册子数量很多，像敌人的‘挺身队’一样沿着太行山爬了上来，毒害着我们的人民，我们应当起而应战，打垮它，消灭它，夺取它的阵地！”

当时，在太行山文艺界，在文艺大众化方面的斗争是很激烈的。赵树理极力主张大众化，有些人看不起，称他为“快板诗人”、“庙会作家”。青年诗人高泳就看不起赵树理。也是在这次会上，当谈到学习群众语言，谈到大众化、通俗化时，高泳公然宣称：群众语言写不出伟大作品。他提出了一个令人吃惊的观点：“群众虽然是大多数，但却是落后的！”

会场哄地乱了营。都说群众是英雄，偏你说群众落后，这还了得！都争着发言反驳。可是都说不到要点上，只好长篇大论，越说越远。高泳笑盈盈地好不得意。这时赵树理站了起来，一字一句地说：“我搞通俗文艺还没想过伟大不伟大，我只是想用群众语言，写出群众生活，让老百姓看得懂，喜欢看，受到教育。”他把话锋一转，提出了一个针锋相对的观点：“群众再落后，总是大多数。离了大多数，就没有伟大的抗战，也就没有伟大的文艺！”

赵树理说完，掌声响成一片，而高泳却什么话也说不出来。一年以后，赵树理写出了他的成名作《小二黑结婚》。

初见赵树理

高　捷

听说赵树理在办《新大众》报，为了能在我所景仰的人民作家身边工作，1948 年 8 月间我向华北局宣传部要求，由《人民日报》改派到《新大众》工作。获准报到后，得知赵已脱离《新大众》，颇为失望。不过有人给我说，他家仍随报社住在这个村，最近他刚参加了华北文艺工作者会议，“窝”在家里写小说哩。不久，《人民日报》就连载了他的中篇小说《邪不压正》，大概就是他“窝”出来的成果。

一天午觉睡过了头，懵懵懂懂急急匆匆往办公院走，耳际忽然传来了一阵苍劲而宛转的板胡声。循声望去，十字街口院墙下坐着两个人，一个显然是盲艺人，正抬着下巴“望”着秋天的丽日微笑着。而操琴的那人，四十多岁，瘦长的面庞有点苍白，披着件打了补丁的棉干部服，里面穿件中式袄，摇头晃脑拉得正来劲。我想，这人看样子是个干部，拿着盲艺人的乐器凑趣儿哩，可这屁股大的小山村，只我们这个不满二十人的机关，怎没见过他？已经误点了，顾不上细看细想，不停步地走向办公院。

又一个傍晚，吃罢晚饭，我和肖亮几个编辑

部的年轻人下到村北冶河岸边遛了一圈，返回来坐到平展的打谷场上嬉戏闲聊。那拉琴的人含着小烟袋，瘦高的身影，缓缓迈着大步向我们移来。突然满宫满调地吼起上党梆子，几个年轻人同时咯咯大笑。此人笑眯眯走进打谷场，磕灭烟灰，连比划带唱地指点起肖亮来，很快就入戏了，只管自己用嘴打鼓点，拉丝弦，一会是旦角，扭扭捏捏；一会充须生，张牙舞爪；一人一台戏演唱起来。小伙子们微笑着和我这个从未听过上党戏的人入神地听着看着——我问这是什么人，这才知道他就是我渴慕已久的赵树理。肖亮他们说，要看赵树理演唱不难，只要你故意走腔变调吼一嗓子上党梆子，准保就勾起他的戏瘾来了。自从我与赵树理初会后，经常与他在一起，也是受他的感染，才逐渐领略到上党梆子那可冲云霄的高亢、激越的独特艺术风采。

李汉辉同志是怎样被俘的

郑笃

李汉辉同志是抗战期间太行根据地文艺界颇有名气的一位多面手。他既是作家、编辑，又爱好音乐。走到哪里总提着一把二胡，即使是反扫荡期间最艰苦的时候也不例外，宁可舍去行李，也不抛下二胡。

1942年，他和我一起调到华北书店编辑部。日寇大扫荡前，我们得到情报，领导上让我们这些后方人员向根据地边沿山区疏散。一天下午，我们到了五指山下的一个山凹，领队刘威同志(当时新华书店印刷厂厂长)让我们就地休息。正休息间，忽听见山坡后响起枪声，因为没有作战经验，大家四散奔跑。有的跑向南面山沟，有的跑向北面山沟。我一个人向北跑，隐蔽时看到一队日本兵顺沟而下，在南沟搜索。李汉辉和其他一些同志就这样被俘了。后来听说李汉辉同志牺牲在太原。

振兴园与松鹤园

裴筱利

宣统初年，太原大水巷建起一个振兴茶园，是个京戏园。东家兼老板是曾宝臣、赵木君两位。曾宝臣喜爱京戏。清末，当时的臬台即按察使丰仲泰和候补道志森(二人均为旗人)联合主办过一个规模颇大的票房，票友们基本都能登台，曾宝臣就是这个票房里打小锣的师父。戏园建成后，请来一批京戏演员，首先来晋的是一位坤角，艺名金刚钻。戏迷们纷纷来此听戏，小巷经常拥挤不堪。这期间还发生过一件趣事。当时戏园还没有电灯，唱戏只在白天，没有晚场。一次，戏报演唱《翠屏山》带《杀山》，可戏唱完《翠屏山》后天已不早，于是未唱《杀山》便煞戏，演员们就卸装休息了。谁知观众兴味正浓，都不动窝，等着继续看。当被告知天晚不能演出后，观众一片喧哗，戏园后台管事无奈，只好让演员们化妆补演《杀山》。

振兴园开张后，营业兴旺，收入颇丰，一些人进而效法。宣统三年，南园子西口又建起一个松鹤茶园，也是个京戏园。这个园子两边的包厢只比池座高二、三尺，看似楼，实非楼，建筑比较特别。松鹤园请来了王又宸、麒麟童、张荣奎、宋东普、狄万铃、薛保良等京角。王又宸是北京新下海的谭派票友，张荣奎却是一位老名角。他俩晚上在台下，张给王说戏，白天在台上，张与王配戏，一对搭当，配合默契。开锣伊始，轰动一时，观众爆满。这样一来，振兴园的观众减少了，营业大受影响。老板着急，赶紧去北京请来谭派老生陈葵香，又请来赵金奎、王玉奎、名武生盛玉珍等，盛还带来其女海棠花。来晋后赶排了"宦海潮"、"万花船"等连台本戏，一本一本连续演出，开创了太原京戏演出之新记录。戏迷们又争相来此看戏，天天满座，松鹤园相形见绌，观众日少，终于关门，只剩下振兴园一家戏园。

辛亥革命时，山西民军起义，与清军大战于娘子关。太原军事戒严，戏园无法维持营业。为了生计，好多演员在街头设地摊唱戏，零收三两块，糊口度日，随之，演员四散，从此振兴园一蹶不振。

民国四年，一位湖北人曹蔼荪(清末候补知县)出巨款接办了振兴园，重新翻盖，改建了戏台，园子改名为承庆园，重新开锣，仍以演京戏为主。一直延续到抗战前。

谭鑫培移晋剧板腔于京剧

宫步生

清光绪年间，晋剧名演员“铜骡子”、“铁马”等，到北京平介会馆演出，受到晋人的欢迎，也受到当时京剧表演艺术家谭鑫培等人的赞赏。他们演出的《西游记》故事，剧名《盗魂铃》，武功深厚，动作优美，唱段干脆，字正腔圆。谭老看上他俩技艺，登门拜访。“铜骡子”和“铁马”毫无保留地传授给他。后来谭老串演京剧《盗魂铃》，就是用晋剧板式唱的。谭老民国元年到上海，搭了黄楚九的班，也是原封不动地照搬晋剧唱段，受到观众好评。这表明晋剧早在清嘉道年间在京就享有盛名。

景梅九礼待艺人

李竹林

旧社会鄙称艺人为“戏子”,如遇同族或亲友婚丧大事,酒席上不能同“上九流人”共桌。老同盟会员李岐山(鸣凤),1911年在太原参与首义成功后,任山西敢死军司令部三等秘书。清军攻陷娘子关后,即随山西副都督温寿泉率民军南下到河津,被举为国民革命军司令,又称五路招讨使。民国初年所部改编为混成第一旅,李任旅长。1912年1月1日,李率部配合秦陇复汉军夺得运城,景梅九(定成)筹备演戏庆贺。景以秦陇复汉军参谋长身份专程赴乱弹名角郭宝臣家下请帖,邀郭领衔,与李燕堂(艺名唐儿红)、杨老六(名登云)等名角联袂演出。郭到运城后,景梅九设宴招待诸艺人。请郭坐上座,郭死活不敢,景大笑道:“咱革命就是为打倒封建帝制,废除礼教,讲人人平等。你是乱弹戏名人,请你来演戏,你是客人,我是主人,你礼当上坐。”郭欣然入上座。

当晚在运城西门外会馆演《出棠邑》,郭宝臣饰伍员,赢得个满堂喝彩。第二天,因嫌会馆戏台小,又改在池神庙连三大戏台上演。郭宝臣本是老旦演员,因受革命巨子景梅九礼待,这天

晚上乘兴反串了《黄鹤楼》中的周瑜，旦串生角，喜得全场掌声雷动。是年郭已五十六岁，反串下来确实不易。戏罢，观众呼声不断，要郭加演一场，郭因体力不支，只好作罢。

程砚秋 1937 年太原之行

董大中

著名京剧表演艺术家程砚秋，曾多次来太原。记得在 1937 年的那一次，正是“七七”事变时期。他 7 月初率剧团来到太原。7 月 6 日晚，在山西大戏院开始演出，打泡戏为《碧玉簪》，程砚秋饰演女主角张玉贞。以后每天都有夜场，有时加演日场，到 7 月 15 日止，共演 13 场。每场都有一出大戏，有时配演折子戏。所演大戏《穆柯寨》、《金锁记》、《花舫缘》、《青霜剑》、《奇双会》、《玉狮坠》、《朱痕记》、《赚文娟》、《荒山泪》、《红拂传》等，均为程派名剧。

陪同程砚秋来太原演出的有名小生俞振飞，像《碧玉簪》、《金锁记》、《花舫缘》、《青霜剑》等，都是他们二人主演的。此外，尚有钟鸣岐、吴富琴、曹二庚、哈宝山、苏连汉等人，在京剧界也都颇为有名。

太原各界人士对京剧素有爱好，程剧的票价比平时高出十倍多，观众仍十分踊跃。原定 14

日结束，后应各界挽留，加演了一场，可见演出盛况。

看王存才师傅的表演

寒　声

"误了收秋挽夏，不能误了存才《挂画》。"蒲剧观众多年相传的口碑，诱使我急切地想欣赏这位蒲剧名伶的精彩表演。机会终于来了，五十年代初全省戏剧会演，安排了几场老艺人展览演出，其中就有存才的《挂画》。那时王存才师傅已是六十开外的人了。乍一出场，病态恹恹，我总觉得她不像青年女子耶律含嫣。当她闻说："花轿已到！"那兴奋的心情立即驱散了思念恋人的病态，她兴致勃勃地登椅子挂画，踢纸球，梳妆打扮，急切中更衣，尤其凌空一跃，干净利索地端坐在自己的妆奁堆上，她那种按捺不住的喜悦，竟使我忽略了他高超的跷工技巧。深深地映入我这位初赏者眼底的，却是他用那种娴熟的夸张性表演，刻划出了一位妙龄女子不受礼教羁绊的叛逆性格。因为她知道花轿抬着的并非她哥哥胁迫抢夺来的民女，而是她的恋人，猎户青年花荣。同时也反映了她这位辽人后裔，依然保留有契丹民族开朗的性格。这一人物塑造的内涵特点，却往往被后来的青年演员所忽略。

王存才师傅的技巧表现确实很出色。但他决不是单纯卖弄技巧。他紧密联系戏剧人物的塑造，把高超的技巧融入人物情节美的旋律中。比如《杀狗》剧中他扮演焦氏，人们往往注意到他在曹庄追杀中，从“狗形”身翻了一个“滚背”，这当然是绝技了。而内行看家们却更对他跪着“起范”摔一个“抢背”而叫绝。这绝技反映了刁钻泼辣的焦氏，在急切中又绝不吃眼前亏的机灵性格一面，是“美”与“情”的高度结合。

最难能可贵的是存才师傅在长年累月演出中，对各类妇女生活的观察能力，他把得来的素材都作为他塑造戏剧人物的手段。比如他在《拾玉镯》中扮演刘媒婆，不像现在一些青年演员那种脸上画黑痣、鬓角贴膏药之类靠标签吃饭的形式主义表演。他只是塑造了一位晋南农村老于世故而又爱管闲事的旧时的妇女形象，这里没有特有技功，但他把日常习见的生活形态典型化了。只一个出门背转来扭腰上锁的动作，就赢得了满堂喝彩。戏曲表演艺术，没有扎扎实实的生活基础和相应的技巧磨炼是不行的。只有把这些都放入“情”和“美”的熔炉中提炼，才能产生动人的艺术形象。王存才师傅的演出，确实达到了这种艺术境界。

丁果仙因错出巧

张仁健

1936年,"晋剧须生大王" 丁果仙赴京演出时,流传着一则因错出巧的舞台佳话。

这次丁果仙赴京演出,上演的剧目单上有一出引人注目的戏:《四进士》。这出戏,是丁果仙前两年在京演出时,用自己的拿手戏《串龙珠》同京剧著名须生马连良先生交换移植过来的。如今,她带着"外放"的《四进士》回京"述职"了,这怎能不引起京、晋两剧的艺人和观众的极高兴致!尤其是马连良先生,有一天,他趁丁果仙主演的《四进士》已经开场,来到戏园悄悄地观赏丁果仙的演出。

戏演到第十一场丁果仙饰演的宋士杰为探询干女儿杨素贞冤案的审理情况,在大街上与办案的班头丁旦匆匆路遇。按剧本的规定台词,宋士杰应叫一声"丁旦",然后向他打听情况。但丁果仙出场亮相时,无意间瞥见了台下的马连良,不由暗自一惊,心想:今儿个在马先生面前演宋士杰,这不是班门弄斧吗?心里一慌,差错便出现了——她脱口而出,把"丁旦"叫成了戏中的另一角色"二混子"! 一声错叫,台上台下一片愕然。台上的"丁旦"傻了,台下的观众愣了:

出场的明明是丁旦，为啥宋士杰称他为“二混子”？当然，在这一刹那，最为紧张的还是丁果仙，因为她已明白自己念错了台词，造成了平生少有的舞台差错。但是，在这紧要关头，她没有继续慌神，手足无措，而是急中生智，灵感突现。只见她从容不迫地走近丁旦，揉了揉双眼，出人意外而又合乎情理地说出了这样一句即兴台词：“唷，老汉老眼昏花，行走匆忙，认人不真，原来是丁旦娃娃！”这样，一场可能砸锅的演出危机安然度过了，戏顺利地演了下来。

演出结束后，马连良来到后台对丁果仙说：戏演得好！尤其是同丁旦路遇的那个“关子”卖得好！既表现了宋士杰的年老，又符合宋士杰当时心怀急事，忧心忡忡，神思恍惚的情态。丁果仙一听，哈哈笑着说：“好我的老爷子，那是您把我吓出来的啊！”马连良弄清原委，对此发表了精辟的见解。他认为，丁果仙的因错出巧，看似灵感之偶发，实有情理之使然。倘不是对宋士杰这个角色的年龄、身份和特定心理状态早已了然于胸，体察入微，那么，在急遽的舞台瞬间，面对失误，就决不会蹦出那样一句切合人物面貌、合乎剧情发展的巧妙台词来。为了感谢马连良先生对自己的指教，纪念与马先生的纯真友谊，丁果仙此后演出《四进士》时，便把因错而得的巧，巧妙地保留了下来。

“果子红”与“说书红”

张仁健

三十年代初期，由太谷商贾组建的“锦艺园”是当时晋剧界最负盛名的一个班社。“老三儿生”师徒、“说书红”师徒以及“盖天红”、“毛毛旦”等名角都被网罗班内，真可谓名优荟萃，盛极一时。年仅二十出头的丁果仙以“果子红”的艺名出现在“锦艺园”的海报上，成为观众瞩目的一颗新星。在“红”生一门中，同“盖天红”王步云、“说书红”高文翰相比，年轻的“果子红”应属晚辈之列，但她这位晋剧史上第一个“红”行女皇的卓越艺术成就，实际上已使这个晚辈在舞台上取得了与前辈名艺人平起平坐的资格。尽管以往她曾偷学过“说书红”、“盖天红”的戏，但因和他们没有师承关系，在日常的交往中可以凭艺术上的地位平等相待。“果子红”甚至调皮地给“说书红”起下绰号，“说书红”听了一笑而已，毫不见怪。“说书红”错责了徒弟程玉英，“果子红”以程玉英大姐的身份出面打抱不平，“说书红”不仅领受批评，事后还夸她年纪虽轻，处事却胜过自己。

虽然“说书红”对年轻的“果子红”如此器重，但在艺事上“果子红”却一直对“说书红”抱

着求教弟子的虔敬态度，一心想要拜于门墙之下，亲聆真传，承其衣钵。于是“果子红”选定一个黄道吉日，毕恭毕敬地走进“说书红”的房间，郑重地说：“高老师，你收我为徒吧！”“说书红”以为“果子红”开他的玩笑，“果子红”却一本正经地向他打躬作揖，苦苦求拜他为师。“说书红”看她态度真诚，便答应把自家的所长无保留地相传，但说什么也不答应以师徒相称。

1936年，“果子红”赴京津演出载誉归来。有一天，她在太原的清和元饭店摆下几桌丰盛的宴席，宴请省城的梨园名流。这宴会，不是庆贺“晋剧须生大王”的登极，而是出人意料地宣布公开补行拜“说书红”为师的正式仪式。“果子红”硬把“说书红”请到上首坐定，当众倒身向他行了拜师大礼。请求师傅日后把她所演的戏，逐个重新严加鉴定一番，以便去芜存菁，使这些戏的表演更臻完美。“说书红”老泪纵横，激动万分。

“果子红”功成名就，誉满三晋，名扬京津，但是却不骄傲自大，一心向“说书红”恳切求教，直到公开拜他为师，可见她的胸怀和对艺术的追求之一斑。

从乾隆年到抗战时期的上党梆子鸣凤班

寒　声

旧社会，北方的戏曲班社主要在农村野台子露天演出。一到冬天就得“封箱”，待到来年开春再组班营业，所以一个戏班的名号、历史都不太长。惟独上党梆子“鸣凤班”，竟延续了二百年之久，这在全国戏曲史上也是少见的。

鸣凤班的东家姓史，是山西晋城东四义太和寨人。传说其先祖史宗经在乾隆年间做过大官，他曾娶阳城县鸣凤村姓白的一家大户女儿为妾。白家小姐特别喜欢上党大戏，这便成了她出嫁为妾的条件。婚嫁时白家果然陪送了女儿一班大戏，归史家经营。为了不忘记这班戏出自阳城白家，便把白家所在的鸣凤村村名取做这个戏班的班名，这便是“鸣凤班”的来历。

所谓上党大戏，是有别于当地秧歌小戏的意思。清乾隆年间的上党大戏，已成了昆、梆、罗、卷、黄五种声腔具备的相当成熟的剧种。史家官大财旺，对鸣凤班经营得非常出色，所以鸣凤班从乾隆年间起，就成了泽州府显赫一时的大戏名班，为“上五班”之首位。

鸣凤班传至清嘉庆年间，史家依然是清朝的官吏，后裔史溥于嘉庆十八年考中“拔贡”，出任福建省福宁府知府，依然是一位上党大戏的戏迷。告老还乡后，邀集文士编写剧本，聘请名伶，添制上好行头，使鸣凤班获得了更好的声誉。晋城原名凤台县，就连《凤台县续志》也有“史溥，东四义村人，由拔贡生官工部侍郎——所蓄梨园，为一郡冠”的记载。

史家家境富裕，鸣凤班上了县志，这种门庭荣耀简直不亚于做官。传至史斗一代，便放弃了读书仕进的念头。自称“大东家”，随鸣凤班红火热闹，奔走四方。史斗无后，清宣统年间不幸病故，曾引起两房侄儿争相过继的风波，同族人最后议定一个折衷办法：过继史和亭为儿继承房地祖业；同时又把鸣凤班转让给史斗的堂兄弟史寅恭，并说定每年孝敬史斗遗孀三千吊钱，才算圆满了结。

史寅恭的前房妻子早逝，续弦赵引弟是位聪明伶俐有胆有识的女子。她对前房子女如亲生一般，史寅恭在当鸣凤班东家期间，她主动当“参谋”，夫妻两一里一外，把个鸣凤班办得有声有色。可惜好景不长，史寅恭仅仅当了四年东家就与世长辞了，戏班和家务全落到这位年轻寡妇身上。赵引弟在困难面前毫不示弱，从三十二岁起，独当鸣凤班的东家十七年，直到四十八岁。才让她的三儿子史廷秀接了班。此后她虽退居“二线”，仍然是鸣凤班强有力的“顾问”，有重大困难她出面解决，使鸣凤班一直延续至抗日战争以后。

上党梆子鸣凤班所以有二百年的历史，据李近义同志总结：一有看家戏，二有名演员，三有严肃的台风，四有严格的戏规，五有好东家好掌班。这话是很有道理的。我看最关键的还是正派的、内行的、精明能干的经营管理人才。

戏谚传史

武承仁

本世纪二、三十年代，晋北忻州一带流传着四句串话：“拉铃儿会唱，福鱼儿会浪，小电灯好笑，十六红好闹。”反映了北路梆子四位著名艺人的一些重要情况。

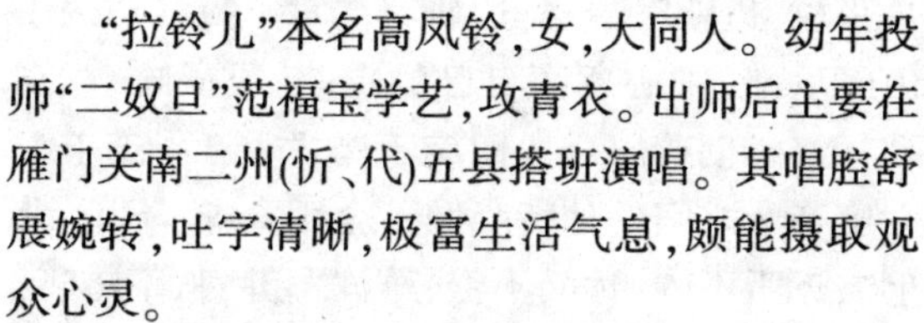

“拉铃儿”本名高凤铃，女，大同人。幼年投师“二奴旦”范福宝学艺，攻青衣。出师后主要在雁门关南二州(忻、代)五县搭班演唱。其唱腔舒展婉转，吐字清晰，极富生活气息，颇能摄取观众心灵。

“福鱼儿会浪”，俗谓卖弄色相曰“浪”，一般属贬意。这里指表演逼真充分，亦不排除偶有风流过分之处。福鱼儿姓银，女，大同人，与拉铃儿同馆，攻花旦。扮相俏丽，生性活泼，在《梅绛雪》(饰狐仙)、《狐狸缘》(饰四姑姑)、《洞房》(饰卢凤

英)等戏中有一些色情表演，使年轻观众心猿意马，神不守舍，因有“浪”名。但她演健康剧目更多，也更精彩，故能成为名伶。

“小电灯”即贾桂林，女，大同人。幼从“三庆老旦”杨三娃学戏，主攻小旦，兼及青衣，解放后以专工青衣成为北路梆子头牌代表人物。抗战前与林林丑演出《十八扯》及《老少换》等剧目，常为林林丑的精彩表演引逗而笑场，有时竟不能立止，因落“好笑”之名。后来艺术上渐趋成熟，此弊尽除。

“十六红好闹”，“闹”者，晋北方言，有如普通话之“搞”，此处指贪女色、搞女人也。“十六红”姓焦名生玉，太谷人，幼入于梨园科班从“说书红”高文翰学中路梆子须生，出科后辗转到二州五县搭班改唱北路梆子，得艺名“十六红”，文武双全，颇邀重誉。惟生活作风不甚检点，辄与暗娼鬼混，因染梅毒，无奈辍演二年，落户定襄县张村，边就医治病，边研习艺术。每日踯躅于山野坟滩，细心琢磨自己的唱腔，或低吟、或高歌，终于创造出一套回旋于调式主音5至上方六度音3之间的独特唱腔。全用真嗓，不用“背躬”，近听不吵，远闻不浮，雄浑刚健，从不暗哑，人称“铁嗓子”。复出后名震长城内外，不仅剧界仿效者众，鼓班吹戏也非他莫属，至今犹然。惜乎病攻四肢，两臂再难伸直，功架戏不能再演，只以唱功须生名垂剧史。

贾桂林的发声幼工

邓映易

贾桂林同志是山西省著名的北路梆子演员。年届古稀时,嗓音仍灵活嘹亮,在山西梆子几大剧种中难能可贵。

贾桂林自九岁投师杨三娃学戏。杨三娃唱青衣,对发声的训练虽讲不出什么理论,但在当时的条件下,看看他训练徒弟的方法,还是有一定的合理性和保护嗓音的作用的。徒弟们十多个人,分男女集体住宿,每天清晨四、五点,师傅就把他们叫起来小便,小便完了再睡到五点多钟起来,就不需要再小便了,这样做,被认为可以保住"元气"。

在到外面去喊嗓之前,先让徒弟们每人嘴里含上一口凉水,一是为了把一夜睡觉的"火气"用凉水吸出来;二是出去后不致于被冷风顶着嗓子,容易坏嗓子或感冒。等每人找到一堵墙或一棵树,站定后,把这口水喷在面前的墙上或树上,然后对着这口水迹张着嘴哈——哈——地呼气,吸气,使外边的冷空气和身体里的热气逐渐混合起来,这样,嗓子就不会受到冷空气的刺激。唱时一定要对着墙和树,而不要对着冷风唱。还要把河冰凿开一个冰眼,对着这个冰眼或

井口练道白和唱腔，就会有回声和共鸣的声音反射回来，自己听得真切，再练时就可以模仿那种带共鸣的声音去发声，这比在野外对着广大的空间去练，声音集中、圆润、好听，自己也能调整。

喊嗓子要先低后高，从易到难，从简到繁，逐渐把嗓子活动开，唱开。先唱“嗯——吗”，中间拉得越长越好，既练音域的开展，又练控制使用呼吸。先喊三、五声，然后唱“啊——”小肚子用气，从低向高甩开，练习从低音到高音，以帮助声带、共鸣、呼吸各方面的灵活调节，这样练习三、五声。

开始正式练唱前，先要练道白。道白口齿要清楚，咬字要准确，吐字要圆润有韵味。一般是练《玉堂春》、《三堂会审》、《教子》、《桑园会》，把这几段道白练完后，就开始练大段的唱腔。北路梆子中大段唱腔很多，每一段都要唱十几分钟，每天清早起码要唱三大段，约三刻钟至一小时。

贾桂林同志对我说，“道白得把牙梆子练得发酸发困了才行，如果徒弟不认真练，师傅就打板子，我也挨过打，但因为我比别的徒弟心灵，十几个徒弟数我挨打挨得少。”

贾桂林十四岁出师，十五岁就唱红了。由于她的眼睛又明亮又灵活，得了个诨号叫“小电灯”。她出名后，红遍雁同。二十岁刚过，日本人进来了，日本人出戏报点唱《金水桥》一折“哭殿”，她巧妙地躲开了，赶紧花了十块白洋雇了一头毛驴，从代县跑到阳明堡，后到张家口，一住就是十六年，当家庭妇女。回太原后，踩缝纫机，在服装八社当了二年缝纫工，这与梅、程二大师蓄发、归农相映成辉。直到解放后三十八岁时才重展芳华。

上党梆子的第一代女演员

寒　声

山西的上党梆子又名上党大戏、泽州调，1934 年曾由三晋学人郭象升改名“上党宫调”。其实它和“宫调”无关，是一个以梆子戏为主的昆、梆、罗、卷、黄多声腔剧种。

上党梆子的旦角向来均由男优扮演，四十年代末仍然如此。晋城民乐剧团首先吸收了两位女青年，一个叫郭彩彩，一个叫郭胖胖，都是晋城梨园之乡望城头村人，而且还是姑表姊妹。两人都生得眉清目秀，身材苗条，又各有一副好嗓子。她们爱看梆子戏，剧团团长焦潮润也看出她们是两块好料，就问她们愿不愿意来剧团学戏?望城头是上党梆子的戏窝，胖胖又是梨园世家的女儿，有这个社会条件就好商量，要来两人一块来，没有费什么唇舌就跟着剧团学戏来了。她俩心灵嘴巧，在家就会几句上党戏，时间不长就上戏，果然一炮打响。民乐剧团出了女演员，

这是上党梆子破天荒一件新鲜事，消息不胫而走，上座极好，剧团别开生面，生意格外兴隆。

上党梆子戏路，向来以生角主演，民乐剧团出了两位很出色的旦角女演员，原来的大部分传统戏不适合她们扮演，怎么办？焦团长意识到主演剧目必须为她们开拓，进一步研究她两人的艺术发展前途。他们看出郭彩彩具有端庄、凝重、细腻、缠绵的表现，适于演闺门旦、花旦、青衣一类角色；郭胖胖性格洒脱、泼辣、倔强、秀丽，不只武功进步较快，且有文武兼备的条件，适于靠架戏，也适于小旦、花旦、正旦戏，戏路可能更宽。于是根据她们的条件，针对性地为她们大量改编，移植剧目。

若干年后，她们同台演出中相互配合默契，又各有自己的戏路，比如演《玉龙簪》的严玉莲，彩彩演前半本，胖胖演后半本；《游龟山》的胡凤莲，彩彩演《藏舟》，胖胖演《投县》；《茶瓶计》彩彩饰小姐龚秀英，胖胖饰丫环春红；《白蛇传》彩彩饰白素贞，胖胖饰青儿；《法门寺》彩彩饰孙玉姣，胖胖饰宋巧姣；《宝灵庵》、《无头案》、《荆紫关》连三本，彩彩饰苗秀英，胖胖饰铁牡丹。同时她们也各有自己的主演剧目，如彩彩有《窦娥冤》、《破洪州》、《三关排宴》等剧，胖胖有《黄金蝉》、《寒江关》、《皮秀英打虎》等剧。那真是如鱼得水，誉满州底五县，早已引起了上党梆子对培养女演员的普遍重视，纷纷选材育材。

五十年代初，她们曾以《茶瓶记》、《玉龙簪》

参加过专区和省戏曲会演，均获高奖。豫剧旦角名家李凤卿和京剧四大名旦之一的程砚秋大师观看演出后还热心指导，使她们开阔眼界，拓宽戏路。她们能成为上党梆子第一代女演员中的佼佼者，与此不无关系。

郭凤英郭彩萍两代的“舞翎”

周　桓

晋剧有一折戏，名叫《赠冠》，又名《小宴》。说的是三国时司徒王允为离间吕布与董卓的关系，请吕布过府饮宴，安排义女貂蝉将亲手做的“太子冠”赠给他。吕布一见貂蝉顿生爱慕之情，王允答应许他为妻，为以后董卓“抢”去貂蝉作妾，招致吕布深恨董卓埋下伏笔。戏中的吕布运用耍头上的“翎子”(即雉尾，也称雉鸡翎)的技巧，来展示人物的内心世界。翎子，本身既软又硬，不能笔挺又不能随意打弯，只能从头顶成弧形下弯。要让它结合角色内心舞动起来，可软可硬，必具深功才能做到。在这折戏里以运用“耍翎子”技巧享有盛名的是晋剧前辈名家郭凤英。

吕布发现貂蝉貌美，露出爱慕之意，王允借辞离去，舞台上只留下这一对青年男女。吕布情难自禁，为取悦貂蝉，并怀挑逗之心。此时观众看到的是：扮演吕布的郭凤英，面对貂蝉低下头来，摆动头部，把头上的双翎子舞动成波浪式；又以平着有节奏地转动头部，使这双翎子在头顶一次次地转成圆圈，并不时以翎梢扫向貂蝉的脸。翎子犹如失去硬度，全随人意，不仅显示功力，增进艺术美，而且象征吕布心旌动摇，情发于内。当吕布的感情达到高潮时，舞翎技巧也步入高峰。这时郭凤英借助腰、颈、头的筋劲，使一根翎子由弧形下垂，逐渐从翎梢上扬，直到整根翎子笔挺直立到头顶，完全失去软性，并且能持续一段时间。少时，先立起的这根翎子如常弯下来；再以同样方法使另一根翎子直立。这种舞翎技巧，使没见过的人大为惊诧，向被称为“绝技”。郭老息影舞台后，儿媳郭彩萍尽得真传。郭彩萍在此基础上发展成两根翎子，从左右两侧同时上扬，双双直立于头顶，这就更吃功夫了。

显密双弘的一代高僧
——能海法师

赵培成

五台山历史上高僧云集，大师辈出。在近现代佛教史上，于佛法世法皆有重大建树、功德圆满、堪为后世楷模者，当首推能海法师。

能海法师，俗姓龚，名学光，字缉熙，四川省绵竹县汉旺场人。生于 1886 年腊月二十二日。学光数岁时，父母先后去世，依靠姐姐生活。十四、五岁时，入成都恒升通商号学徒。学光敏慧，闲暇发奋读书，渐通史籍。当时清朝腐败，外侮频仍，学光决志弃商从戎，于1905年考入陆军学校，刻意攻读，两年毕业，成绩优异，遂担任康定镇守使部侦探大队长、营长等职。1909年调任云南讲武堂教官，当时朱德总司令亦在该校学习。讲武堂任教后，返成都，升任团长兼川北清乡司令。后见国事日非，更不满袁世凯窃国专权，便日涉佛经以自遣。后又想改习园艺，以实业富民。故1913年东渡日本，考察实业，半年后返北京。

1915年，学光闻知四川广汉张克诚在北京大学讲授佛教哲学，引人入胜，乃不辞遥远，前往听讲。并得其所著《佛教的成唯识论》、《法相宗弥勒学提要》，如获至宝，细读深研，渐萌出家之念。其姐以无后为继不许。学光年三十九岁时，生子述成，刚满四十天，便毅然割爱离亲，出家于四川涪陵天宝寺，礼住持佛源为师，赐法名能海。其妻张氏亦同时出家，法名能新，改住宅为尼庵。

1924年，能海在四川新都宝光寺从贯一和尚受比丘戒，拟东渡日本求法。后闻大勇法师以东密不如藏密，已由日返国赴藏求法，能海便决心入藏求法。初在打箭炉，从那摩寺老格西学法相。1928年与同学永光、慈青等二十余人相偕入藏，阻于兵旅。1929年始达拉萨，依业高僧康莎仁波卿，学文殊法七年，尽得其传。同时博涉其他宗派著作，搜集藏家经籍。后取道印度返回内地。1932年到达上海，在班禅办事处讲经，听讲者常达数千人。并四处设坛,广作佛事。

1934年,能海赴五台山广济茅蓬作法安居,讲《基本三字》、《盂兰盆经》后,闭关静修,并译集经论。是年应上海佛教净业社之请,赴沪弘法。1935年返五台山,安居中讲《菩提道次第科颂》,五台山学法比丘日众。1936年,能海再应邀赴沪讲经,结束后,再赴五台山,住广济寺。是年农历四月初四日文殊圣诞,应请接任茅蓬住持。寺内分禅堂与念诵堂。禅堂坐禅修观,念诵堂分观诵与讲诵。其时来山学法者约四十余人,能海择行持有素者,组成金刚院,每日下午讲经二小时,皆能满意。除领众行持外,并亲近菩萨顶扎萨克喇嘛,随学随译《现证庄严论》,兼学其他密法。是年冬,深感欲弘宗大师法流,非独建道场不可。遂于1937年初,同罗桑巴桑大喇嘛(并拜其为师学藏经) 将本宗蒙及众弟子迁至善财洞住。是年春,太原海子边山西佛教会会长力空和尚、省主席赵戴文请能海法师讲经,他至太原,先后讲《文殊五字真言》、《金刚经》。法会圆满,四众挽留,即在太原安居。

"七七"事变后,能海法师率弟子四十余人回四川。成都文殊院住持法光和尚请能海住南郊近慈寺,惨淡经营,新建威德殿、宗喀巴大师殿、藏经楼、译经院、沙弥堂等处,阁楼崇丽,蔚为名刹,成为内地首创的黄密根本道场。

1939年3月,能海赴峨嵋山礼普贤,接毗卢殿住持。1940年再度赴藏参与拉萨大招提寺朝拜圣诞节日。1942年至1948年,能海安居近慈寺、太平寺等传戒讲经,精研佛法,先后翻译藏经《大时轮上师相应》、《毗卢仪规》等十几种,弟子遍于国内外。美国总统罗斯福曾亲笔致函,邀请他赴美弘法,因故未去。先后曾有美国、瑞典、比利时学人来华听其讲经。

1950年,能海法师参与接待入藏解放军代表,对和平解放西藏多有贡献,并派弟子隆果随军入藏担任翻译。是年9月,专程送扎萨喇嘛回京,住西黄寺,并助钱恢复摩尼法会。10月,应上海金刚道场邀请开讲《比丘戒》、《律海十门》等。

1951年,能海法师以特邀代表身份参加全国政治协商会议。朱德委员长递条问候,并亲赴四川组,与师畅谈阔别之情。

"文化大革命"开始后,能海遭受冲击,处之泰然。i967年元旦端坐而逝。享年八十一岁。僧腊四十三。1981年,在五台山宝塔山麓,为能海法师建成舍利白塔。前有石碑,赵朴初居士撰书塔铭,文曰:

承文殊教　振锡清凉　显密双弘
遥遵法王　律履冰洁　智刃金刚
作和平使　为释宗光　五顶巍巍
三峨苍苍　舍塔崇岳　德音无疆

佛历二千五百二十五年八月
赵朴初敬撰并书

力宏和日本高僧常盘大定

王剑霓

家祖父王建屏，佛号力宏，和日本佛子结有佛缘，赞助日本高僧常盘大定找到日本净土教祖庭山西交城玄中寺。

民国九年(1920年)，即日本大正九年秋，常盘大定首次来华访求佛迹。到太原后，山西省佛教总会会长力宏热情接待。常盘大定提出：史载净土宗祖庭玄中寺在西河，有汾阳、汾州等说，究竟何处呢？力宏说：祖庭玄中寺在今交城，古属西河郡汾州，治所汾阳，故史载如此。并积极赞助、导引常盘大定找到交城石壁玄中寺，公之于世，使日本净土教广大僧侣信徒知道了他们祖庭确址，开了日本佛子朝拜礼赞祖庭之先河。

民国三十一年(1942年)，即日本昭和十七年七月，常盘大定最后一次来华朝参祖庭玄中寺，率领一个日本佛教徒代表团，到太原后，住于海子边力宏创建的太原市佛教会。当时日本佛教净土真宗在此设"东本愿寺"。力宏住崇善寺，热情接待了常盘大定一行，又在玄中寺，联合举办了盛大的严修昙鸾大师圆寂一千四百周年法会及玄中寺奉赞大会。力宏为这次法会编写了《净土四大师略传》，民国三十一年(1942

年)7月5日印刷,山西省佛教总会于7月10日发行，太原印刷厂和日人办的山西产业株式会社承印。书中《四大师略传序》中说:慧远、昙鸾、道绰、善导四大师弘扬净土教义。昙鸾建玄中寺,为净土宗祖庭,由近及远渐次到日本,东亚的净土法门,是发源于山西,山西人应当奋发起来……”。

常盘大定找到祖庭,有感怀诗篇:

石壁山深一径通,幽溪穷处是玄中;
鸱啼月蚀空广夜,赞仰鸾绰二祖风。

力宏也有诗篇:

“二祖对面”[①]妙法通,
扶桑知恩[②]系玄中;
净土梵庭永不老,
又同上人访唐风。

力空法师护持国宝《赵城金藏》

童 玮 扈石祥

《赵城金藏》是一部金代(1115—1234)民间

---

① 日本净土教高僧法然(1133—1212)梦中会见善导大师,写有《梦感圣像记》,日本传为“二祖对面”。

② 知恩,知恩院,日本净土教总院,名寺,在京都市,为纪念日本净土教高僧法然修建。

募集雕刻的木版佛教丛书，全书采用千字文次第编目，自“天”字起至“几”字止，共六百二十八帙，每帙基本含十卷，计七千卷左右。每卷约七千至一万字，全卷约六千多万字。

《赵城金藏》的发起刻藏人为潞州崔进女法珍。

据记载，法珍先后在山西的河津、太平(今属襄汾)、绛州(今新绛)、夏县、安邑(今属运城)、长子、翼城、临汾、赵城(今属洪洞)、陕西的白水、田比沙镇等地募化。陆光祖在明代万历十二年(1584)所写的《嘉兴藏刻缘起》中说：“昔有女子崔法珍，断臂募刻藏经，三十年始就绪。”

金藏雕造完毕之后，在百余年间(1178—1294)根据现存印本和一些片断记录共计印刷四十八部。流传下来的只有广胜寺本四千八百十三卷，大宝积寺本约五百四十卷，兴国院本及天宁寺本各十余卷，共约五千三百八十卷。

《赵城金藏》是世界上第一部多达七千余卷的大藏经。北宋开宝年间的《开宝藏》为我国第一部木刻版汉文大藏经，而《赵城金藏》是以开宝本为依据的复刻本，原供养在广胜下寺后殿。辛亥革命后，下寺寺僧已不理事，经柜不设关锁，金藏四散流布，故赵城绅士张瑞玑等商通下寺寺僧于1928年由广胜下寺后殿移贮于广胜上寺弥陀殿。

抗日战争爆发前，广胜寺上寺弥陀殿的十二个藏经木柜共存有藏经三藏半，计有：(一)金时自刻卷式大藏经一藏。(二)明初永乐年间大藏经一藏。(三)影印宋版碛砂大藏经一藏。(四)其余清朝的龙藏版卷数较多,杂版卷数比较少些。说到金刻卷式藏经，真可谓全世界博古人士注目的稀世珍宝。

1937年9月,日本侵略军进入雁北,蒋介石派遣第十四军驻防晋南，军长李默庵住在赵城张寺玉宅，请广胜寺住持和尚力空法师到县城商议移藏经之事。力空法师表示:“金藏属于赵城全县所有，不是我个人的私有物，我不能作主。”次日,力空法师返回广胜寺,即将《赵城金藏》五千多卷封于广胜寺上寺飞虹塔内。

1938年农历三月初八日，阎锡山又派人自临汾来到广胜寺,与住持和尚力空法师商议,要把《赵城金藏》往山西吉县山内转移,力空法师说:“太迟了。”来人无奈始下山而去。

1942年春天,日本政府派遣“东方文化考察团”来到赵城县活动,这时从赵城道觉村的日寇据点传出消息:日寇行将抢走广胜寺的《赵城金藏》。力空法师得知此讯后,立即下山到井子峪,找到抗日根据地赵城县县长杨泽生，请他派遣武装同志迅速转运。同时,我太岳区二地委在对敌工作中获得了日寇将奔赴广胜寺抢夺《赵城金藏》的情报。二地委书记兼军分区政委史健(李维略)感到事关重大,迅即向太岳区党委书记安子文和太岳军区司令员陈赓及政委薄一波等作了请示报告。区党委上报党中央后不久就转来延安批准同意抢救《赵城金藏》的电报。电报要求严格保密，限期完成，时间是1942年初春的4月份。

根据中央专电，具体做了周密部署，动员了军分区基干营、地委机关干部、洪洞县大队及民兵，于4月27日午夜十二时许，将全部经卷安全转移。为了广胜寺僧人的安全，县长杨泽生给力空法师开了收据，证明《藏经》已为八路军运走。《金藏》于4月28日到达地委机关驻地安泽县亢驿村，全体战士受到太岳军区通令嘉奖。

《金藏》由广胜寺运走后，力空法师为了逃避日寇的抓捕，于6月20日(农历五月七日)移住广胜上寺后殿东侧吕祖洞躲藏。不出力空所料，日寇闻讯后，即将寺里的二十多个僧人捆绑带走。力空在黑暗潮湿的吕祖洞躲藏了三个多月，于9月27日(农历八月十八日)到兴唐寺任住持和尚。山西省日伪省长苏象乾(体仁)为《金藏》事还亲到赵城调查过，力空法师据理力争，义正词严抗议日寇暴行。力空爱国爱教的壮举，在我国现代佛教史上谱写了光辉的一页。

“五台山上一行者”及海外佛子

根　通

五台山作为佛教圣地，在中外文化交流和

友好往来方面占有显著地位，海外赤子对五台山更是充满无限的深情。新加坡的王碧莲女士，是著名爱国华侨陈嘉庚先生的弟媳，同时也是能海法师的海外皈依弟子。王居士曾来五台山朝山，并拜谒能海法师，表达了她对五台山文殊圣域的景仰之情。

香港妙法寺住持金山法师，是五台县天和村人，出家于五台山尊胜寺。金山法师两次回五台山朝山省亲。他对清凉圣境和家乡的热爱思恋之情，感人至深。

美国纽约光明寺住持寿冶法师，江苏无锡人，1928年二十一岁时，出家于上海普济寺。1930年春，寿冶法师初上五台山朝礼。时隔四年，1934年寿冶法师二十七岁，再度朝礼文殊圣域。在南台顶下，自建茅蓬安居，虔心礼诵《华严经》一年之久。1936年，寿冶法师三上五台山，在碧山寺闭关，请能海法师为之封关说法。从1936年至1940年，寿冶法师在碧山寺用血书写《华严经》八十一卷。这部血写成的经卷，曾运往日本展览。其时，寿冶法师已是上海普济寺的住持，为了解决五台山碧山寺的经济困难问题，遂与其师德松和尚将上海普济寺贡献给碧山寺为下院，以其收入全供碧山寺作经常费用。1939年，寿冶法师被推举为五台山碧山寺住持，一直至1945年。此后，寿冶法师赴香港、越南和美国等地宏法。

党的十一届三中全会以后，五台山对外开

放，自称"五台山上一行者"的寿冶法师，四度回山探亲访友。他还给碧山寺捐款十多万元。

台湾佛教僧侣也多次假道美、日、港来山西五台山朝山拜佛。表达了海峡两岸佛子盼望祖国统一的拳拳之心。

穆斯林学者马骏母子英烈

金维范

马骏字君图，山西晋城人，回族，生于1878年。他早年曾毕业于英国牛津大学，回国后历任山西河东盐运使、河东道道尹、山西实业厅厅长、山西教育厅厅长、山西省查禁毒品委员会委员长等职。马骏还是一位有名望的伊斯兰教学者，曾编撰有《清真要义》、《马氏丛书》、《知非斋》等著作。他还自费聘请国内有名望的杨仲明阿訇翻译《古兰经》上、中、下全集三十本，颇得教徒赞颂。1932年他又自费请尹光宇先生代替他朝觐今沙特阿拉伯伊斯兰教圣地，并被邀请出席世界穆斯林和平大会，惜因故未去。他每年送给太原清真寺阿訇数百元银币，以舍济贫困的穆斯林。每逢古尔邦节，他总要送清真寺二十只羊，分赠教友。

马骏先生闻悉我和胞妹从小失去母亲，父亲又贫困潦倒，养活不了我们，十分同情，便将

我胞妹收为义女，改名马芳年，并出生活费送我到清真寺学习阿文，育读经典。从此，我开始了宗教职业的生涯。

马骏一生刚直不阿，具有秉公执法的正义感。他在任河东道尹期间，不畏土豪劣绅，曾对因争水引起械斗的肇事者严惩不贷，使争端平息。他在查禁毒品委员会任职期间，铁面无私。传说山西辛亥革命元老之一某君的侄儿，因制造料面被捕，最后交马骏处理。他不畏权势，毅然依法处决，大快人心。据说这位辛亥元老的母亲去找阎锡山，要马骏偿命，阎锡山回到五台河边家里避而不见。

抗战初，马骏曾任山西省回民抗日救国协会会长，大力号召回族同胞，踊跃参加抗日。义旗举处，群相策应。在当时物资极其困难的条件下，他不惜倾家荡产，全力资助组成回民抗日义勇队，由起初数十人迅猛发展到三百多人。抗日义勇队在晋城、阳城及壶关一带进行游击战争，扰乱敌后，配合友军作战，并与各抗日部队取得联系，互通情报，共同对敌，起到了积极的作用。

日寇妄图让马骏出山，利用宗教笼络人心。在北平成立的伪中国回教总联合会华北联合总部，曾派出一个叫向井的日本人驻晋城，打听马骏的下落。向井把马的母亲虏获，逼马母叫马骏回晋城，马母拒绝。不到一年时间马母在日寇的折磨下与世长辞。1942 年日伪军把山地包围，终于把马骏俘获，软禁在晋城一条花胡同内的住宅里。当时，太原清真寺回教联合会去电慰问，先生立即回电说："骏之被俘，事无待言，并未参加任何团体。特复。马骏。"接电后，姚惠民阿訇、乔育敬及日本顾问大岛秀雄，都写了致马骏的信。当时我住在清真寺念经，就让我赴晋城送信。我想借此机会看望胞妹马芳年，就答应去晋城。同时还带有棉线毯、红白糖等物，以向先生慰问。第二天就见到了马骏。他此时面黄肌瘦，惟精神尚好。见面后彼此寒暄几句，我就将信交给他。他看完信后，对我和表舅杨祖涛说："我今年已经六十三岁了，我们的至圣穆罕默德也是活了六十三岁。我的寿数已经到头了，鬼子经常来打扰我，我对他们说，你们侵略中国犯下滔天罪行；你们把势力扩展到朝鲜和我国东北还不够，还妄图吞并全中国，野心太大了，必将受到世界民众的谴责。"他还说："我听真主的召唤，但凭鬼子发落。"第四天，我向马骏辞行，他回送毛毯一块，却没有信让我带回。一年之后，马骏在被日寇押送去长治后被折磨死了。

庚子前后天主教太原教区与令德堂

郭崇禧

1890 年罗马教廷将山西教区划分为南境、北境两教区。由于北境教区主教总堂设在太原，故称太原教区。

1900 年前，协助主教艾士杰管理太原教区事务的有富格辣主教。富也系意大利籍方济各会士。

1897 年富格辣赴意大利都灵参加“传教区展览会”，将事前在太原等地搜集的中国工、农、矿等产品带去，以供展出。同年 11 月，富由太原起程，并带领四名中国修道生同往。次年罗马教廷任命富为山西北境教区副主教，8 月间在法国巴黎被祝圣。富被祝圣后，曾赴比利时、英国等地游说募捐，得到了不少捐献。

1899 年 4 月，富由罗马返太原。除带来九名传教士外，并带来“玛利亚方济各传教会”修女七人，拟在太原设立医疗机构，委该会修女管理。这是外籍修女来太原的开端。

1900 年，义和团运动兴起，艾、富两主教被杀，主教大堂被焚毁。除外籍教士八人、中国籍神父十四人逃亡外，其未逃走的两名外籍教士和七名中国籍神父，一名外籍助理修士，五名修道生，七名外籍修女，均被杀死。教徒被杀者三千人。

1901年，外籍教士安怀珍、刘博第出面办理“教案”，安、刘以太原大堂住房全毁，与洋务局道台沈敦交涉，欲占用后小河南之令德堂书院(今山西实验中学地址)。该书院为山西全省士子最高学府，面积宽敞，房屋整齐，认为是作太原主教总堂最理想的地方，事实上也曾做过太原教徒临时活动场所。1902年7月，凤朝瑞来太原后，因山西学子竭力反对教会占据令德堂，于1902年12月4日，与山西布政使赵尔巽协商，将令德堂退还。赵尔巽酬以白银二万两，作为新教堂建筑之补助。

在1901年安怀珍、刘博第办“教案”中，与清政府交涉，索取白银四百万两，作为教会损失之“赔款”。

凤朝瑞任太原主教后，首先于1903年全面动工，至1905年建成了大北门街的天主教大教堂及住宿楼房和东三道巷四号的修女楼房等。此外在教区各地，还陆续建造了大小型教堂六十七座。

国人自办中华基督教会

梁艺府

清末信奉基督教的爱国教徒，曾经思谋办一个不请外国人宣道，不用外国人钱财，不受外国人支配，纯由国人自立的教会。时太原教会的贤达刘宝箴、渠达成、刘高城、乔知几、杨明斋、刘宗武、杨洪源等，于1911年在太原发起自立教会之活动。初由渠达成、刘宗武等组织“夏日学生布道团”百余人，从太原到临汾一面布道，一面拜会，发动教会传道人唤起教会信徒，走向自立、自养、自传的道路。只缘当时外人势优，又与中国政府官员相勾结。一时不得实现，只得俟机再图。

民国二年，临汾籍曾参与孙中山先生发起同盟会的基督教徒乔知几，首次在太原东缉虎营附近的娘娘庙中创立了“中华基督教自立会”，延请高大龄为宣教员，确立了自立会的“三不”宗旨，使国人为之兴奋。但官府不予支持，还受到外国教士的排挤，教徒情绪消沉，人数亦有减少，状极萧条。

民国八年，“五四”运动起，又激起了基督教徒的爱国热忱，“自立”之风，重新抬头。至民国13年，信徒人数增多，娘娘庙房院狭小，不敷使用，乃在上肖墙租得大院一处加以整修，把教会由娘娘庙迁至上肖墙，其标牌为“中华基督教会”，虽将“自立”两字去掉，实则主旨未变，仍系在山西省城太原的自立教会。当时的教会由刘宝箴、刘宗武等负责，聘梁维翰、张慎斋二人作宣道员。聚会信徒大部系各大、专学校师生与中学校师生。后梁维翰以年老辞职，张慎斋也去，又另聘胡农三为宣道员。

这所自立的教会，经费完全靠信徒捐赠。民国二十一年，由于信徒多系青年学生，捐赠力量微弱，不克支付房租及行政费用，又不便向大学教师及时告难，教会乃于是年秋末由上肖墙迁到首义街青年会大楼。越年胡农三告退，乃又请乔知几回会宣教。以后聚会者感到教会应有自己的礼拜场所，乃决议由信徒分别捐资，另觅地建堂，方符自立、自养、自传之旨。民国二十三年，在新南门外并州北路福音里东面，以银洋三千元建立了礼堂和办公房舍。竣工后聘爱国教官分任教委、文书、出版员、演道员、宣道员。直至“七七”事变后日寇进入山西，信徒不与之合作，大部迁移川、陕两省，教会停止活动。

北岳恒山二道士

熊养德　程祖秀

雄伟壮丽的北岳恒山与东岳泰山、西岳华山、南岳衡山、中岳嵩山并称五岳。具有十八景的恒山既是我国锦绣河山标志之一，又是我国历史悠久的道教圣地。历史上有二十四个皇帝祭祀过恒山，有十三个皇帝带兵在这一带打过仗。

自东汉顺帝年间道教传入塞外，乃经两晋、北魏至唐以迄元、明两代，都修建过庙观。道教盛时有道士一百多人，系上祖龙门派即是夏龙门派，至清代渐式微。日寇侵华时期树木砍光，把保存了数百年的经卷也洗劫一空。

浑源虽僻处塞外，但由于文化比较发达，加之名山百观星罗棋布，所以从古至今出过很多有名的道士。我仅就见闻所及，略述近现代名望较著之恒山二道士。

董永利，山西省广灵县西马庄村人，生于1883年。董家境贫寒，祖上几辈，均以卖工为生，弟兄四人，永利排行第三。幼年时，双亲早故，为生活所迫，当了小长工。长大后，为了糊口，离乡背井，颠沛流离去了大同、张家口一带，曾当过麻绳铺的学徒，沿街叫卖，穷困不堪。二十八岁遁入空门，来恒山庙观拜全真派萧道成为师。师傅看其老实诚笃，在修道之余，还教他识字习文。1927年，师傅又介绍他去北京白云观学习道规，任白云观外账房。三年后，永利回恒山庙，萧师傅已故，新任住持高圆清拒绝留他再住，董永利只好住进山上的奶奶庙内。当时，庙内财产全属恒山庙主持。董永利另辟生活门路，在山上开荒种地，每年种树数百株，1947年高老道走后，董才住持恒山庙。

董永利出生于贫寒之家，在幼年时备尝了人间的艰辛，养成了怜老惜贫的品质。为道期间，他亲自带领徒弟开荒地，打下的粮食，除了维持师徒生活外，还经常周济周围的贫苦百姓。他还精于医道，常常为群众免费治病。他还悉心保护古迹，修复洪水冲坏的殿宇，因之很受人们的尊崇。

李元通，原名李树棠，又名李元忠，于清光绪十三年(1887)出生在河北省清苑县狼山村的一个镖局武师家里，昆仲七人，元通为季。他出生于晚清，时社会混乱，外敌入侵，从小就在他的心灵里种下了忧国忧民的爱国思想，长大后很关心国事。他在青年时，就胸怀大志，刻苦习武，欲为国家出力。1911年，外国侵略者为了达到进一步瓜分中国的目的，由日本、法国、俄国、意大利、英国联合在上海设擂台，李元通由师傅带领赴上海应战。擂台上元通一连打败六名日本高手，其余各国高手见状不战而退。日本人恼羞成怒，为了挽回败局，强迫清政府追缉李元通。李元通经上海武林界人士的营救，才逃出虎口。辛亥革命后，革命果实落到袁世凯手中，继之军阀混战，人民遭殃。李元通对国势灰心泄气，于二十五岁时，入清苑县道观棋盘陀学习针灸，耳听晨钟暮鼓，身伴青灯黄卷，他把心血功夫用到中华医学的绝技——针灸上去了。教他针灸之术的是道人，由于耳濡目染，五个春秋在道教环境中熏陶，加之生活困窘所迫，元通于1918年赴绥远三官庙出家为道，后云游来到浑源。北岳恒山的幽清泉石和壮观松岩使他流连忘返，遂定居于恒山。他先在城内观音殿、南宫，后到白龙王堂住庙。此时他虽年迈，但武功造诣更加精练，医术也近炉火纯青。他积极为患病者精心治疗，找他针灸的人络绎不绝。泉头村有一身患半身不遂症的农民，常年卧床不起，经李元通精心医疗后，不久就能离床行走了。于是李元通的医名很快在全县大振，群众无不交口赞誉其品、其术，长幼皆以“李爷”呼之。

大盛魁通财共义财发万金

刘永德

据老一辈住过大盛魁的至亲传说：大盛魁是山西商人在明清之际，以绥远(今内蒙古自治区)归化城(今呼和浩特市)为创业基地，勤勤恳恳通财共义，逐步发展成连号数百家，财发万金的大企业。

先是两个年轻商人在山西做买卖，因亏本歇业，无法生活，于是牵了一头狗，讨吃要饭，人狗共食，逃到绥远归化城。以摆小摊买卖杂货开始，采取信誉第一，薄利多销，针尖削铁，多中取利，义利结合的经营方式，并遵循“三人同一心，黄土变成金”的古训，与同患难的义犬各顶一份人股，同甘共苦地由一个小货摊逐步发展为“上至绸缎，下至葱蒜”，百货俱全的特大商号。在归化城挂起“大盛魁”大牌匾。

大盛魁金字大牌匾挂出后，逐年开展业务，各地连号由十数家，发展到近百家。所谓东口、西口、喇嘛庙至包头，沿路各地，都有大盛魁的连号。大盛魁的经理(当时称做掌柜)需要到各地了解和指导业务，每隔百八十里都有他自己的连号招待，根本不需要到旅店客栈住宿。此为国内商业界少有的现象。

此外，由于创业的经理出身贫寒，是经过艰苦经营才发起来的，发财致富而不忘本。为保持社会治安和扶危济困起见，对各地的蒙古、汉、达斡尔、鄂温克、鄂伦春、回、满、朝鲜等民族的穷人，都一视同仁。每到寒冬腊月，照例舍衣放饭，保持着优良的传统。北方的群众，自发地唱出了以下四句歌词，赞颂大盛魁：

连号百余座，财发千万金；

团结各民族，繁荣北地春。

俗话说：“国有国法，守法国富强。家有家规，守规家兴旺。”大盛魁能够由穷变富，长久繁荣，据说有以下四条铺规，大家一致遵守，绵延不断：

（一）供奉关圣帝君，效法桃园三结义；

（二）忆苦才能知甜，大年窝头喝稀饭；

（三）致富不忘义犬，利润永久顶一份；

（四）体恤孤儿寡妇，人死还能算三账。

但这繁荣三四百年的民族工商业，因遭汉奸勾结日寇，抢掠烧杀，惨遭灭顶了。

中国票号第一人

泉　圣

清嘉道年间，山西平遥、祁县、介休、太谷等县在京城开铺面做生意的商人很多。每逢年终结账，他们都要往山西老家送回大批白银，因托镖局押运现银运费高，常遭劫，又费时误事，颇感不便。当时，北京崇文门外草厂十条南口有家以买卖铜碌为业的铺子叫“西裕成”，是平遥县城西大街“西裕成”颜料总店的分店。因其规模大、资本雄厚，被列为京城诸号之首。一天，一位山西同乡求到西裕成大掌柜雷履泰门下，打算把付给山西老家的白银交到西裕成在京分店，再由雷掌柜写信告知平遥总店，然后由老家的人从平遥总店提取现银。这样既便利了同乡，又维持了朋友，对西裕成来说也是件有百利而无一害的事，何乐而不为呢？雷履泰满口应承下来。两地亲朋好友得知，都以此为便，竞相请托西裕成拨兑，均属义务。以后商界同乡获悉，也都要求西裕成两相拨兑。在双方同意的情况下，拨兑者便开始支付一些汇费。西裕成的大掌柜

雷履泰、二掌柜毛鸿翙、三掌柜程清泮等由此感到这种生意比其他生意效益还大，如广为开展，必获大利，于是和独资东家李箴视商定，另设“日升昌”票号，专营汇兑和存放款业务。

道光四年(1824)，日升昌开业，汇兑业务果然兴隆。雷履泰又想到山西商人遍及全国各大城市，若如法炮制，必获巨利。于是选派伙友在天津、济南、苏州、上海、南昌、扬州、镇江、西安、开封、汉口、成都、重庆、桂林、长沙、厦门、广州等地设立分号，招揽业务。由于此地交款，彼地用钱，手续简便，信用可靠，经年发展，全国各地的商号、米帮、丝帮、盐帮等各行各业的人，都到日升昌委托汇兑业务和存放款。日升昌解决了运送现款的不便，加速了各行业的资金周转，促进了商业的发展，渐而誉满全国，名扬海外。日升昌为了开展业务，在各地分号竟挂起写有“京都日升昌汇通天下”的招牌，大肆招揽主顾。

然而随着事业的发达兴旺，雷履泰、毛鸿翙却因争夺名利，发生了冲突。

毛鸿翙从日升昌出走后，恰逢介休县财东侯培余要改“蔚泰厚”布庄为票号，毛即被侯召为蔚泰厚大掌柜。从此(1826)，中国出现两家票号，打破了日升昌独步天下的局面。接着，票号纷起，并形成平遥帮票号、祁县帮票号、太谷帮票号、南帮票号等，票号业盛极一时。到二十世纪初，遍布国内外的票号在一百二十五处设号五百七十五个，构成了四通八达的金融汇兑网。

但是，在天下林立的票号中，雷履泰开创的日升昌始终独占鳌头，该号在国内设立分号三十四处，居全国票号之首。雷履泰七十大寿时(1840)，平遥绅商送他一块写有“拔乎其萃”四个金字的大牌匾，盛赞其人，盛赞其始创票号业的伟绩。

渠源祯挖窖藏银

郝建贵

史称晋中八大富商之一的祁县渠家代表人物——渠源祯，字小舟，人称“旺财主”，是三晋源、长盛川、百川通票号的股东。

渠家发迹于商业，以后又投资经营金融业。在咸丰年间，除票号外，还在各省设有茶庄、盐店、钱铺、典当、绸缎庄、药材店等多处。渠家通过经营商业和金融业积聚起来的巨额货币财富，除用于生活享受外，主要是用来窖藏。二十世纪初叶，正当国内产业资本初步发展的时候，渠源祯却没有开办过一个工厂企业，反而急速收缩原有的商业投资，进行最原始的货币窖藏。他在经营中以稳妥为宗旨，从不冒险。光绪二十八年(1902)，百川通票号盈利最多，每股分红利近三万两银子，可渠源祯认为有赚必有赔，今天赚得多，明天赔得多。于是分红后马上抽了股。为了保存白银，在其住宅和三晋源老号各建银

窖一所。当时祁县城内的天合元钱铺,其主要任务就是为渠家铸元宝。渠源祯死后,他的后人只在住宅一窖内就挖出白银三百万两。

中国首家海外金融机构
——合盛元

郝建贵

五口通商后,帝国主义国家凭借攫取的种种特权,纷纷来华设立银行,大肆掠夺中国人民的财富。而此时中国却没有一家银行在海外设立机构。

合盛元票号经理人贺洪如颇具民族气节和爱国主义思想。他想,中外互市以来,我国商业进而为世界之竞争,外人辇货东来,载资西去者日益加盛,而各国之在我国设立银行者遂相踵起,不特列邦之财政借以扩张,而我国之利权寝为所夺。合盛元票号创立已七十年,资本雄厚(当时有资本五十万两白银),信誉较著,为什么不可以到海外设立机构,与外国银行展开竞争呢?于是,萌发了飘洋过海,赴国外创设金融机构的想法。他将此想法告诉独资东家郭嵘,得到了股东的同情和支持,于是派人赴日设立分号。贺洪如在给清政府的农工商部呈文中说:"我国人之在东西洋以及南洋群岛从事工商业者实繁有徒；且近岁留学欧日之学生不下万人，因无本国银行，其存放汇兑无不仰外人之鼻息，困难杂出，遑恤漏卮。职商有见于此，是以不惮艰阻，遴派妥人，新设本号之分号于日本神户……”农工商部批复：“该商号合盛元现在日本开设银行支店，洵足开中国资本家竞争实业之先声，亟应优予提倡，随时认真保护。”此举还赢得了社会各方面的同情帮助。合盛元在日本筹建分号，其间很费了一番周折。当时，日本政令，不准外人在东京私立银行，必须报经政府批准方能开业。于是 1906 年秋，贺洪如东渡，历时半载，案牍冗繁，信札款寄，各署报告，其费用自不待言。而且还承蒙我国领事及诸友谊关系从中维持，日政府才始允许合盛元在东京、横滨、神户、大阪等处开设分号。

该号在日本神户设立的机构名称为“合盛元银行神户支店”，资本五十万(日元)，总经理为申树楷。设在东京等地的机构称“出张所”。不久，又在朝鲜仁川设立了“出张所”，主要业务是办理国际汇兑。当时，中国从日本进口火柴、海味、杂货等；日本在我国东三省购买豆油、豆饼、豆子等。光绪三十三、四年，每年汇兑总额在二千万元(日元)上下；汇水无固定，普通每万元得汇费四五十元。合盛元对海外侨胞还给予特殊照顾和优待，在《合盛元创设日本东京、横滨、神户、大阪各处支店告白》中说：“凡我同胞此后东游日本及从彼回宗国者，如兑银洋各项兼托事件，皆可竭力关照，额实克己。”

合盛元票号不畏强暴，不惧风险，远渡重洋，设庄营业，开创了我国金融业海外设庄的新纪元。

谷如墉与库伦的瓦房

翟品三

谷如墉，山西神池县人，字埠塘，以谐音多称芙塘。他自幼聪颖，刻苦勤奋，才学出群，科场得意。光绪十七年(1891)中进士后，受命为户部主事。

光绪二十三年(1897)，清廷于北京创设大清银行，于蒙古库伦建立分行。当时帝俄银行之卡票(硬纸币)充斥库伦市面，大清银行业务难以开展，户部任命谷如墉为库伦分行总办，前往整顿。

谷如墉经过调查，认为公私银行无固定地址，系游牧式帐篷，不足以招徕顾客，树立信誉，势不能与帝俄银行角逐。乃深入银行界，宣传鼓动，对职员导以国家民族思想；为公司银行修建瓦房，固定行址，以便提高信誉，抵制帝俄卡票之横行。因此，公私银行业务，遂得蒸蒸日上。各商店相习成风，而原在库伦的游牧式帐篷，逐渐淘汰，瓦房日益增多，市面繁荣，金融稳定。清廷授谷如墉四品衔，以褒奖之。

晚清闻名京都的"宝名斋"

散　木

远溯清代中叶，京城书肆、古玩、文具等各行"雅业"麇集于琉璃厂一带，由此形成百年历史的"文化市街"。

琉璃厂曾是北方几省公私藏书的一大来源，而厂肆内外各家店铺，赫然也有"晋商"在焉。这中间有晚清"厂肆第一书肆"——文水李炳勋的"宝名斋"。李炳勋交游颇广，常与朝贵要人周旋，曾与工部尚书交契结姻。穆宗重装《天禄琳琅》，由内务府运至"宝名斋"承办，这样的大生意自然平添了不少名声。同治年间，李炳勋在江西会馆购得汉阳叶氏藏书，计百余箱，售者因是急卖，不令拆看，书籍中尚有古铜器物等，其价甚廉。风声传出引起许多朝贵的垂涎，收藏家潘祖荫"屡次往观，不得一见"，终于引起是非，致使怀恨者日多。到了光绪年间，御史数人交章弹奏李炳勋"卖官鬻爵，包揽户部报销，戴五品官服出入景运门"等等，结果得旨查封了"宝名斋"，李炳勋亦被发配天津。"宝名斋"之外，山西人开的店铺，还有崔贞礼的"书业堂"、

刘会岫的"荣禄堂",王永祥的"直隶书局"等。

旅俄商人牛允宽与"璧光发"

高德胜

牛允宽(1870—1936),本名牛映星,字允宽,汾阳县大南关人。清末民初著名的旅俄商人,以经营大宗皮毛为业。他在莫斯科、恰可图等地开设贸易中心——"璧光发",生意兴隆,经营豁达,盛极一时,对发展中俄、中蒙贸易有一定的贡献。

牛允宽出身贫苦,父亲牛询是个满清秀才,以教书为生。允宽兄弟五人,他排行为长。幼年只读过一、二年义学。少年时代,为谋生和赡养老幼,便跟随一田姓亲戚旅俄做生意。在莫斯科学徒期间,他学会了珠算、心算、经营管理和一口流利的俄语,并自修熟读四书、五经。后因性情耿直,被掌柜辞退。

他少有大志,有胆识和魄力,遭辞退不久便独立谋生,从事小本经营。他跋山涉水,万里迢迢,爬冰卧雪,历尽艰险,走过俄国很多地方,艰苦创业。在莫斯科、恰克图、库伦等地都开设贸易中心,统称"璧光发",英文为"牛"的意思。他精通经商之道,又善于团结中外同仁齐心协力搞实业,生意日渐兴隆,曾在旅俄华侨中成为经营大宗皮毛的富商。他还远游波兰华沙，德国柏林、莱比锡，日本东京等地，进行皮毛和茶叶交易。他所经营的货物均有铅字印牌，确保质量，以示负责。“璧光发”在国内外极负盛名，远至欧美。

出国创业，立住脚跟后，他曾于 1890 年携带金银，回家探望父母。岂料正值花甲之年的老父牛询，见儿发财回家，竟乐极生悲而暴卒。尔后，牛允宽曾几次回国，先后携带三、四、五弟和同乡亲友到国外。五弟映奎毕业于列宁格勒大学物理系，曾在驻俄使馆工作，参与过钦使祝贺俄皇加冕。

牛允宽在国外与俄国少女梁立雅结婚。曾携眷回国，在国内一同生活。在国外生两子，长子格列实，在美国；次子格列卜，在俄德华洋行。

晚年，牛允宽回国在天津法租界巴黎道继续以牛裕如的私人名义，经营“璧光发皮毛公司”。

1936 年，牛允宽患脑溢血病故，终年六十六岁。

天龙山石窟的发现与被盗

李裕民

在太原市西南五十公里天龙山,东、西两峰的山腰,分布着二十五个石窟,是北魏末至隋唐时期陆续开凿的,以唐窟居多,达十一窟。佛像多采用独特的圆雕法雕刻,华丽美观,世称“天龙山样式”。其中最大的是九窟,上层雕八米高的弥勒坐像,下层中央雕五米高的观音立像,左边是乘象的普贤,右首是骑狮的文殊,妍丽丰腴,优雅自如,堪称盛唐杰作。宋朝灭北汉后,毁灭太原城,北迁今太原城,天龙山成了远离城市的荒山,石窟也就淹没无闻了。

到本世纪初，天龙山石窟被日本、法国学者重新发现，这些华丽而颇具真实感的佛像，很快成为世界各国爱好者垂涎的目标。二十年代，山上的僧人、盗贼勾结国内外奸商，将佛像一一凿下。大佛像的头部除一尊弥勒头像外都被砍去，每件以数百元至数千元出售，散入日、美、德、英、意等国，总数达一百五十多件。

1932 年 10 月，太原县奉山西省政府之命，成立保存古迹古物委员会。委员共九人，内有熟悉地方掌故的刘大鹏(1857—1942)。刘为太原晋祠赤桥村人，著有《晋祠志》等书，时年已七十六岁。受命后，即登山调查，在《保存会委员登天龙山记》中写道：“先登上洞，则洞中石佛均被盗劫，十数洞中留者无几。——漫山阁，仅留最高之大石佛，虽未大受损伤，而佛之眼睛被盗剜去。其下层之三佛头均不在，身亦损毁——阁右之石洞，其中佛像佥经锥凿，无一完全之像。”委员会制订了《天龙山古迹古物保存规则》，由政府颁行。政府派巡警二名，常驻天龙山圣寿寺中，严防毁坏佛像。1934 年，将偷卖古物的僧人净亮、法华驱走，另聘仁明和尚住持天龙，并清查了天龙山寺产。

1981 年 9 月，日本学者田村节子参观天龙山，亲眼看到了石窟的惨状。归国后，便设法寻找散在各国的佛像。经过几个月努力，找到了四十七件佛像，其中二十九件已确认出自天龙山的哪一窟。她在《天龙山石窟及其佛头的去向》

中写道:“这一石窟寺在中国佛教雕刻史的长河中,始终呈现着游离状态,保持着自己独特的“天龙山样式”。表现了具有地方特色的浓厚艺术性和丰富的造像手法,在中国佛教文化史中也占有不可忽视的重要位置。”

1965年,天龙山石窟列为山西省重点文物保护单位。近年来开通了山路,加强了保护措施,并作详细的调查和研究,有些佛像的头部已据照片复制。但愿散失的文物早日重返石窟,供国内外游客、学者观赏研究。

梁思成与佛光寺

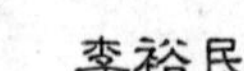

李裕民

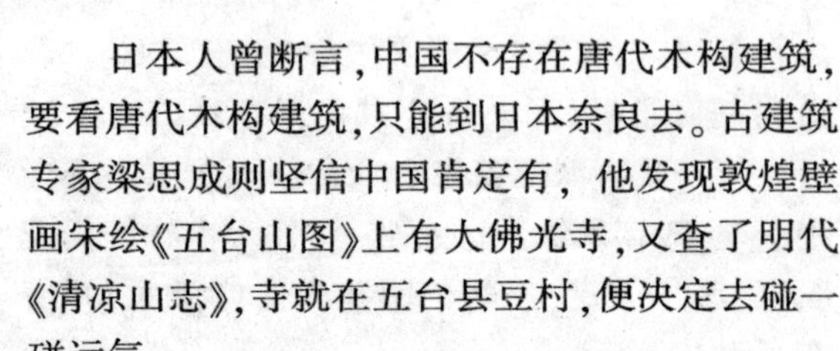

日本人曾断言,中国不存在唐代木构建筑,要看唐代木构建筑,只能到日本奈良去。古建筑专家梁思成则坚信中国肯定有,他发现敦煌壁画宋绘《五台山图》上有大佛光寺,又查了明代《清凉山志》,寺就在五台县豆村,便决定去碰一碰运气。

1937年6月,梁思成偕同妻子林徽因、古建筑专家莫宗江等一行四人,前往五台。他们骑着毛驴,沿着崎岖的山路走去。傍晚,走到豆村附近,一座从未见过的大殿外形映入眼帘,他们惊喜万分,料想这一定是唐代建筑。

经过几天紧张的工作，发现平梁上有唐代的大叉手，柱头斗拱总高几乎等于柱高一半，梁上、板门均有唐人题记，殿外有唐代的经幢。据此，梁思成断定这是唐代大中十一年(857)建造的，是我国唐代木构建筑中的杰作。殿内有唐代塑像三十余尊，唐代壁画三十多平方米，与大殿工程同样精美。梁思成在《中国营造学社汇刊》七卷一、二期撰文，公布了这一发现，立即引起国内外学术界的轰动，中国不存在唐代木构建筑的说法，不攻自破。

梁思成还推测佛光寺西北一里左右，有唐代僧人的墓塔。1950 年，中央文化部组织文物考察团，按照他指的方向寻去，果然在一里左右的山脚下，找到了唐代僧人的墓塔。此外，还在寺东发掘出唐代无垢净光塔和雕刻精致的唐代佛像。1964 年，在拆掉佛光寺大殿佛座后堵塞的泥壁时，又发现一幅天王、力士降魔图，线条刚劲，色泽如新。现在，这座融唐代木构建筑、雕塑、壁画、墨书为一体的佛光寺，已被列为国家重点文物保护单位。

黄河铁牛与蒲津关浮桥

刘海清

1989年夏秋之交，在山西省永济县蒲州古城西门外黄河故道东岸，发掘出铁牛和铁人各四尊，下连铁山，总重达数十吨。四头卧式铁牛每头长三点三米，高一点二米，重约十一吨。牛旁还各铸有一尊站立的看牛铁人。铁牛与铁人皆与下面基座的铁山连铸在一起，这是我国当今发现的唐铸金属文物中最巨大者。经考证，这些铁人铁牛是唐玄宗开元年间铸建的蒲津关黄河浮桥铁索固基之所在。

古蒲津关是秦晋之间的一个险要关隘，也是黄河上的一个古渡口，位于今永济县蒲州古城以西。据《永济县志》记载，春秋时期蒲津关称作“临晋关”，是“百二秦关”之一。因为河东就是晋国，故名临晋。陕西《朝邑县志》记载：临晋关浮桥始建于战国时期秦昭襄王二十年（公元前287年），是用绳索系在两岸，上搭木板，中间用船支撑的浮桥。到唐代中叶，因在蒲州设立河中府，统管黄河两岸，蒲州城西门叫蒲津门，与西岸的临晋关遥遥相对，遂将临晋关改名为蒲津关。开元初年，唐玄宗李隆基巡视蒲州时曾写过一首《早渡蒲津关》的诗：

钟鼓严更曙，山河野望通；
鸣銮下蒲坂，飞旆入秦中。
地险关逾壮，天平镇尚雄；
春来津树合，月落戍楼空。
马色分朝景，鸡声逐晓风；
所希常道泰，非复弃儒同。

唐开元十二年以前，这座黄河桥，是一座竹索连接的浮桥。竹索不结实，极易磨切而断，造成船沉人亡的事件。为了保证这个沟通秦晋的军事要道的畅通，唐玄宗降诏，于开元九年(721)"新作蒲津桥熔铁为牛以系亘"(见《资治通鉴》二一二卷唐记二十八)。永济民间传说两岸铸铁牛时仅工匠就用了五百多人，壮工各千人，熔铁炉计约九十多座，共用了三年时间，到开元十二年才算完成。"每岸各铸铁牛四，铁人四，其牛并铁柱连腹入地丈余，前后柱三十六，铁山四，夹岸以维浮梁"(见乾隆版《蒲州府志》)。从出土的实物看，铁牛、铁人正是和下边重达几十吨的铁柱、铁山熔铸在一起，埋入地下，将浮梁的铁索系于铁牛尾后横亘上以稳固桥基。桥头还建有桥门，两侧种植了各种树木，形成"杨柳岸，晓风残月"的宜人景色，加上离此不远的鹳雀楼和望河亭，使此地成为唐代的一处游览胜地。

蒲津关浮桥后来毁于兵火和大水。据乾隆版《蒲州府志》记载："至金末，河桥为元兵烧绝后始废。"元代初年，黄河塌岸，将著名的鹳雀楼也塌入河中圮毁。元代以后屡发大水，将蒲津关

西岸冲毁，河床由宋时不足一华里宽拓成几十华里，浮桥亦没于水中。

河东书院建筑格局

志 英 人 序 灵 花

位于运城市西北五公里处的河东书院，是一处将儒家思想与建筑物溶为一体的建筑群。门庭庄严，整个书院座北朝南，从中轴线向北，前有先门、仪门、讲经堂，堂前台阶下栽有许多松柏和苦槐。在堂的东西两边各建有五间房舍，东叫“崇义斋”，西叫“远利斋”。还有两个“碑亭”，分别在两斋的南端，面南而立。在斋的背后建有花墙，和仪门之墙相交。仪门东边，有个“东号门”，是面南的。向北走，有“东上号门”、“东中号门”和“东下号门”，再往北走，有三个号房，都是面南的。自这门转路登上台阶，但见树木夹阶，蔚然成荫。在“仪门”西边，有“西号门”。沿西号门往北走，有与“东号门”规模形制一样的三座门。再北还有两个门，左右各有楸树。五间面南的“退思堂”建在中轴线上的“讲经堂”之北。“退思堂”的北面，是“四教亭”。在堂东偏南是“左曲房”，其后是管文件人住的房子；在堂西偏南，是“右曲房”，其后是勤杂工友住的房子；在西墙的西边有四排向东的单人住的小房间，叫

“西蜂房”；在东墙的东边也有四排向西的单人住的小房间，叫“东蜂房”。在“四教亭”的北边，筑有一座土木结构的楼房，称为“书林”(又名“藏书楼”)。楼上，中间是祭祀三晋名贤的神堂，两旁是藏书的房间，楼下有个像块圆形玉石的水池，叫“环池”。池内种莲，还可划船。环池之北是“乱石滩”；滩的北边是“九峰山”，其上建有“仰止亭”；山东名“杏坛”，山西名“桃源”。山旁掘有砖井，叫“源头”。山下有四洞，可由前山曲折通往后山，洞名“游仙”。“莲池”在山的后麓。山上怪石嶙峋，重峦叠嶂，树木茂密，云雾缭绕，所以左山叫“豹变”，右山叫“凤鸣”。“环池”的东边是“石榴园”，建亭名“日新”；西边是“葡萄园”，建亭名“月种”。两亭的背面栽有松树，亭前有菊花，背松拥菊，越过篱笆，可以观山玩景。在山北的西面有亭，叫“悠然”，它的后面有个“牡丹园”，亭子叫“丽景”；再往后有“纫兰园”，亭名“余佩”。在山北的东面有“绿猗亭”，它的后面有“荼蘼园”，亭名“微风”。再往后是“籍草园”，亭名“一般”。从“仰止山”后，经过青杨林荫道往北，就到了“游息亭”，再往北走，便进入“百果园”。这座山的北边东麓和西麓，都有砖井槐亭，用车汲水，从山两边南流，通过源头井，汇到“乱石滩”，再往南汇流到“环池”。环池的东南和西南都设有水闸，东西两条水路，分别流经蜂房、厨房、号门到方塘，再于石桥相汇，两边方塘又可向北流，灌溉山后园林。学子们进入“先门”，

就想做个有道德的人；瞻望“仪门”，就会端正仪容；视碑石，就会使人对以后行为怀有惧敬之心；居住在斋舍里，就会静心寡欲，洗心从善；进入“崇义斋”，就检查自己思想是否违法；登上“讲经堂”，就会刻苦读书；来到“退思堂”，就会思己行为，防止过失；站在“四教亭”，就正心诚意；抬头望山，就以仁为乐；低头看水，就以智为乐；看到两边的“峰房”，就想到怎样修养思想、做好事业；“日新”的含义是忠，“月种”的含义是顺，不失忠顺才能表现出岁寒松柏不凋的气节；所建“松棚”，就是教育人永远向松树学习，保持松树的风格；过“乱石滩”，意在使人勇于接受挫折和困难的考验；登上“书林楼”，就会使你不断攀登，追求知识，探索真理；游览“杏坛”，以追述古代，览古谱今，汲取经验教训；访问“桃园”，就会想起陶渊明渴望国泰民安、人民安居乐业的社会；在“悠然亭”休息一会儿，想想任何事物都是有规律的，它不以人们意志为转移，千万不要干那些违背社会和自然规律的傻事；在“丽景亭”会看到大自然赏我们的良辰美景；在“绿猗亭”会想到造物主给我们的奇珍异宝；在“微风亭”会看到气象万千、变化不息的宇宙，感到自己知识贫乏，天地间许多奥妙等待我们去探求；在“余佩亭”，看看兰草，就会立志做个品端学优的人，以自己的言行熏陶别人；“籍草园”内，棵棵小草装点大地，就会想到只要对大家有贡献，即使做棵小草也很好。只要能像上面所说的那

样，你就可以心安理得地排除各种干扰而休息了，所以，“游息亭”建在后面；人很像各种树木花草，都要有个结果的，所以，“百果园”建在最后。

戏台文化拾零

武承仁

山西戏台，创建之早、式样之多、质量之高、数量之众，均堪称全国之最。别的不说，仅从1982年文物普查时之不完全统计，地面尚留有古戏台两千八百多座，这在全国是绝无仅有的。

自明以降，绝大多数戏台建成之后，都要刻写一些文字以作装点并寓教义。例如台口檐下之前额匾及楹联，隔断顶头之中匾及楹联，上下场门顶上之楣题，有的还在前台两侧山墙书以对联或中堂。这些，可以称之为戏台文化。这种戏台文化的主导思想是儒家思想。这与中国戏曲以“高台教化”为己任，宣扬忠、孝、节、义和修、齐、治、平为核心是统一的。

例如：河曲县巡镇戏台名“昭格楼”，五台县北大兴村戏台名“赓扬楼”。前者倡导做人规范，后者祝愿万世锦昌。有的前额匾虽不书台名，也都书以吉庆颂词。例如五台县槐荫村西戏台为“运会隆昌”；蔚县曹疃东、西戏台，一书“和声鸣

盛”，一书“盛世元音”。也有的则以戏台功能书之，如忻州市东张村关庙戏台额匾，直书“娱神楼”，表明此台系作“以乐祀神”之用。

隔断中匾也多为四字，有的比较一般化，例如代县傅村戏台为“舞奏霓裳”；有的则颇有深意，例如忻州东张村戏台为“异史传真”，说明题者是颇懂艺术之三昧的。出将入相的楣题均为二字，例如东张台为“琴音”、“瑟韵”；定襄县大南庄连二台，左为“传音”、“绘声”，右为“吟风”、“啸月”，均无大特色。惟有的径题“镜花”、“水月”，倒有点提倡间离效果的意思。

经营最得体的是楹联。一类是永久性联，一般比较慎重，总是请当地有名望的文人撰写，因而往往书卷气十足。例如原平县石鼓寺台石柱联之一为“名利交迫，扮几场争夺情形，如觅蝇头，如居蜗角；善恶两分，写一本昭彰榜样，俨披鲁史，俨谱毛诗”。另一副虽未刻石，亦属此类：“载治乱，知兴衰，历代帝王堪亲目；寓褒贬，别善恶，一部春秋全在兹”。另一类则出自民间，临场红纸墨书，过后即毁，好事者抄录存查，以备后用，其词通俗晓畅，不乏调侃诙谐之作。例如：“拿的刀提的枪只杀不死，乘的马坐的轿非走不行”，一语道破戏曲的虚拟性；“开场时忠良几受侮凌每恨人情多变，结局后奸佞一经败露方知天道无私”，概括了戏曲故事的一种模式；“乾坤大戏场请君更看戏中戏，俯仰皆身鉴对影休推身外身”，强调戏剧的教化功能；“实事出自古人初看时恍恍惚惚呀未必是实，真情演于当代细观后的的确确啊果然是真”，指明戏剧之审美特色；“愿听者听愿看者看听看自取两便，说好就好说歹就歹好歹要唱三天”，反映晋北戏剧习俗；另有专为子弟班(业余剧团)演出所用者：“演好唱歹父兄辈且莫见笑，出丑扮怪子弟班哪有正经”，“人很稳成醋与油不怕洒了（俗谓出错为洒醋)，嘴却朴实铜和木都能吃些”(梆子腔讲究闪梆子或躲木头起唱，碰了梆子被讥为啃马锣吃木头)，诙谐幽默，令人忍俊不禁。

山右三忠祠

乔家才

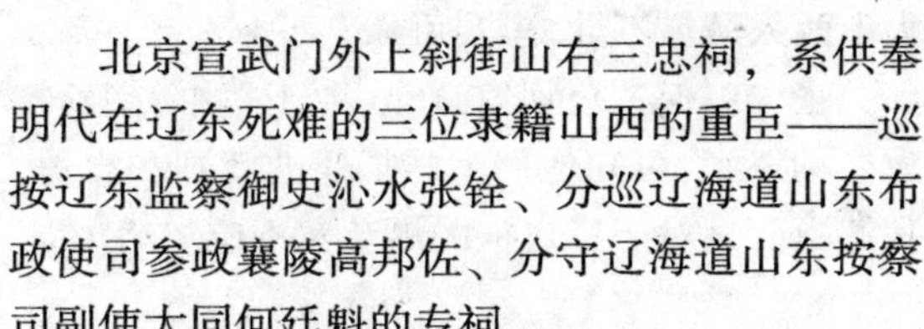

北京宣武门外上斜街山右三忠祠，系供奉明代在辽东死难的三位隶籍山西的重臣——巡按辽东监察御史沁水张铨、分巡辽海道山东布政使司参政襄陵高邦佐、分守辽海道山东按察司副使大同何廷魁的专祠。

1930年，那时我和灵丘李冠三(封岚)兄入民国大学政经系。我住下斜街云山别墅，他住上斜街三忠祠。民国大学则在内城西南角太平湖旧醇王府。清德宗(光绪帝)就出生于此。

从下斜街到民国大学，必须经过上斜街，进宣武门，右转西行。每次路过上斜街，多半到三忠祠看冠三,然后相偕往民国大学上课。冠三住在前院的东屋，记得三忠祠台阶很高，有十几级,一上一下相当吃力。

当时年轻,对历史文物不大注意,没有对三忠祠做深入的研究。三忠祠系山西的产业,大家都当做会馆,供青年学子居住而已。所以每次去三忠祠连正殿都没有进去，三忠像是什么样子都不知道。

三忠祠除祀张、高、何三忠外,尚附祀有明清两代八十四位山西人。这样专祀山西人的祠堂，关系着山西的文物历史、山西人的忠勇精神。我常入宝山空手而归,暮年念此,非常后悔。

山西人天性直拙,然诚朴踏实,具有忠于职责的美德,实在值得骄傲。清道光以降,山西票号信用卓著,执全国金融牛耳。抗战时期,成都、重庆很多商业机构聘请山西人作经理，就是因为山西人诚恳不欺,忠实可靠。

张、高、何三公居官辽东,死于军中,朝廷特建寺祠祭祀,可知他们为国捐躯的壮烈和忠勇。我们山西人对于三忠祠的沿革实不应忽略。

“西口”河灯会

张存亮

河曲县每年举办一次西口河灯会，它源于走西口者求生的欲望，想借助黄河天神的保佑，来渡过难关，逢凶化吉。河灯会一直延续到现在。

清乾隆十六年，善良的人们在水西门口处，建了一座“禹王河神庙”，还配建了雕龙画栋卷棚歇山顶黄河大戏台(今留存)。建庙后，于每年的农历七月十五日进行祭祀。由当地船工组织“河路社”，安排具体活动，初称迎神祭鬼节。祭祀活动有庶民给河神烧香披红，送糕灯盏，称为“敬心灯”。“会首”在河边放铁炮十二响，称“镇妖炮”；由走西口遇难的家属在河岸上摆供品、烧纸钱，并将瓜瓢、瓷碗内注入灯油点燃，放入黄河水中，叫“领魂祭鬼灯”。到清同治年间，“河灯会”的祭祀活动减少，而各种文艺活动增多，娱乐性增强。每到会日，“河路社”首先要组织大批能工巧匠制作河灯，盏盏灯都做得十分精美。较大的彩船龙灯，用木架纱布制作，上绘彩画。其余荷花、牡丹、金鱼、仙女、龙凤等河灯，用彩纸剪贴裱糊而成。灯座底部刷桐油掺沙子以防水浸透，苇节裹棉花作灯芯，蘸黄油点燃。会庆

三日，每日要放河灯三百六十五盏，预示一年三百六十五天，天天吉祥如意，三日共放河灯一千零九十五盏。在放灯时，船工水手们先将全部河灯运到黄河急流中心处，抛锚停立，然后，鸣放礼炮。随后锣鼓齐鸣，唢呐伴奏，水手们将第一盏彩船龙灯放入水中，尔后每隔丈余投放一灯，陆续将三百六十五盏河灯全部放出。滚滚黄河浪涛上，舞动起十里长明彩灯，黄河犹如一条腾飞的彩龙，千姿百态，十分壮观。

“西口”河灯会的传统民间歌舞活动，也别具风采。当年的西口路，是一条唱不完苦情歌、演不完苦情戏的路。这从陕北的“信天游”、内蒙古的“爬山歌”、晋西北民间的“河曲小调”中都可以看出，走西口曾是他们共同的主题歌。在走西口苦情歌基础上产生的二人台《走西口》苦情戏，最早就出现在河曲水西门口。首先演出此剧的，是河曲“五云堂玩艺班”，该班与道情戏班合伙首次演出二人台《走西口》、《小寡妇上坟》等剧目。当时舞台题壁“秧歌盛事庙会大吉，五云堂玩艺班敬演”等字迹，现在还清楚可见。最近还发现清光绪十一年，由五云堂玩艺班李有润口述、邬圣祥抄录的《走西口》剧目手抄本一册。抄本中一些唱词如“咸丰整五年，山西遭歉年”；“走脱二里半，扭回头来看”；“西口门口上大船”；“头一天住古城、第二天住纳林”等。以上提到的地名，如二里半，即是水西门口附近一小村名，其他地址也都与西门口紧密相关，为当地人

所熟知。可见二人台代表剧目《走西口》就产生于河曲水西门口。

流传晋中的两句歌谣

刘永德

民间歌谣是广大人民对社会现象，寓褒贬别善恶的真实写照。流传在晋中一带的两句歌谣“徐沟的铁棍太谷的灯，不如陆堡埋死人”，就是很好的典型。

“徐沟的铁棍太谷的灯”，徐沟是一个比较富庶的县，解放后与清源合并为清徐县。

“铁棍”是抬铁棍的简称，也叫“抬阁戏”，即选拔强健的农民六人或八人，形如抬轿，同声合力，喊一定的口号，迈着稳定的步伐，共抬一部铁木合制的彩阁，徐徐前进。阁上以铁棍为骨，饰以锦绣，选择面貌端庄秀丽的童年男女，按戏剧角色装扮各种人物，似曹衣出水，吴带当风，飘飘欲仙，在空中舞动。扮演的节目，以《天仙配》、《西厢记》、《祥麟镜》、《狐狸缘》、《红楼梦》等喜剧为主，剧中人虽不多歌唱，但戏乐紧随伴奏，观众齐声喝彩，热情洋溢，确属叹为观止。

太谷县是晋商根据地重点县之一，比较富庶。每逢正月十五元宵佳节，举行花灯赛会，富商大户，争奇斗艳，千姿百态，各尽其妙。诸如纸灯、纱灯、宫灯、龙灯、凤灯、鱼灯等,不胜枚举。特别是玻璃灯上的绘画,如山水、人物、花鸟等,皆出于艺术高手,独具匠心。灯上谜语,概由文人学士创作,无不自出心裁,雅俗共赏。加上武士龙灯舞,儿童骑马跳跃,旱船如水飘游,高跷歌舞街头,火树银花,锣鼓喧天,真是人山人海,热闹万分,实居三晋之首。

“不如陆堡埋死人”, 陆堡属榆次县较大的乡镇之一。光绪二十六年(1900),八国联军侵陷天津,危及北京,西太后恐惶万状,慌忙带着光绪帝及亲王大臣逃出北京,路经太原停息,巡抚衙门命各钱庄负责招待, 众推某号伙计陆堡人贾继英主持。贾继英品貌英俊,聪敏能干,尽心竭力,殷勤招待,极为西太后赏识。西太后返京路经太原, 面封贾继英为大清银行山西分行经理。辛亥革命后阎锡山任督军兼省长,又委贾继英为晋胜银行经理。贾继英连续掌握山西金融大权,自然财发万金。

贾父病故后,贾为了宣扬阔气,大肆铺张。于出殡前邀集四方能工巧匠, 按高级仪仗队形式,制作纸质人马。出殡之日,白色纸质巨型哼、哈二将领先,白衣骑兵大队随后,楼台殿阁,童仆使女,家具陈设,应有尽有。二龙棍击棺,用三十六人抬着金漆棺材, 摇旗呐喊前进。各路乐队,竞技吹打,头戴白帽的送殡亲友,排成白色的长龙大队,挽幛挽联,遮天蔽日,长达十数里,四方观众,成千上万。像这样豪华奢侈的场面,真是晋中地区殡葬仪式的空前大观。所以广大劳动人民用比喻的歌谣讽刺说:“徐沟的铁棍太谷的灯,不如陆堡埋死人。”

张店锣鼓

张明堂

平陆有句歇后语,叫做“张店锣鼓——趟多(套数多)”。

锣鼓,各地皆有。而张店一带的锣鼓,不仅仅听声响,而且供观赏,敲打起来,精神抖擞,鼓点紧凑,队形多变,悦耳醒目,富有跳跃式节奏感,非常吸引人。大至广场,小至舞台,都可以进行表演。观看张店锣鼓的表演,不仅给人以精神鼓舞,而且给人以精彩的艺术享受。

张店锣鼓实力雄厚,乐器齐全,据老年人回忆,历史上曾有过百人以上的表演队伍,可谓洋洋大观。后来由于战乱灾荒等各种原因,使这一传统艺术衰落下来,至解放前夕,几乎濒临绝境。解放后,在党和人民政府的关怀支持下,张店锣鼓得以复苏,又很快发展起来。1983年春节,张店锣鼓参加竞赛的阵容十分庞大,共有八面鼓,十八面锣,四对铙,四对镲,二对钹,一个云锣(据说过去云锣也用一对),全场圆满四十五人,其中包括十来个跑长板的小孩。跑长板,过

去叫拍长板。拍长板的小孩，头带翎，手拿长板，有时对拍，有时绕鼓跑，有起有跳。原来都是小男孩，现在换成了小女孩，不拿长板，不戴翎，而是腰系红绸，翩翩起舞，这是随着时代前进而有所改变的。不仅跑长板小孩要跳跃、舞蹈，就是敲锣鼓的人也都有非常规范的舞蹈动作。因为要跳跃，所以鼓都是一人挂一个，连背带打，鼓形相对的要小些，不像其他地方几个人抬一面大鼓那样不便挪动。这也突出说明了以声响为主和以跳跃为主两种不同形式的区别。

张店锣鼓牌套繁多，据说过去共有七十二套，但失传的不少，现在传下来的计有十三套原牌，八套曲牌，四套短牌，共二十五套鼓牌。十三套原牌有：百鸟朝凤、八仙过海、丹凤朝阳、举场、三闪、卷帘、滚绣珠、川鼓、菩提通、滚花、投处等；八套曲牌有：行进曲、进场曲、高采曲、背高曲、火龙曲、云灯曲、旱船曲、斗狮曲；四套短牌有：凤还巢、进津荣等。名目不同，敲打法各异。最引人注目的是“百鸟朝凤”，音调紧凑动听，忽起忽落，急打慢停，急打快停，锣鼓铙钹，云锣铜镲各种音响紧密配合，非常悦耳。又如“八仙过海”，分开对打，有一段段不同的音调出现，包括锣鼓独奏，云锣独奏，铙钹独奏和铜镲独奏，表演动作大方优美，充分发挥了各种打击乐器的演奏技巧。再如“丹凤朝阳”，音调舒畅，充满了欢乐昂扬的情感。过去是表现对中举的庆贺，如今则反映了人民为实现四化努力奋斗的豪情。另外，如“行进曲”，由慢而快，坚强有力，音节一节比一节高，激昂感人，优美动听。张店锣鼓的老艺人郭才、尹开昌、芦森林等，如今都已是七十开外的人了，雄风不减当年，技术娴熟，得心应手，令人叹为观止。他们还尽心尽力带徒弟，现已培养出青年艺人三十六名，其中二十七人可以单独表演现有的全套锣鼓牌。我们为张店锣鼓后继有人而感到欣慰。

太谷灯节漫话

郭齐文

“南庄的火，太谷的灯，徐沟的铁棍爱煞人”，这三个地方独具特色的文化娱乐活动，早以谣谚的形式传达出了它们在三晋民间的特殊影响。

元宵灯火，始于西汉，盛于隋、唐，历代习俗相沿，遂成为帝都名城、商埠繁市正月十五的一大景观。故“上元”之节又称为“灯节”。太谷历史上无论区域和人口都不能算大城市，但三晋之广，为什么只有太谷独享灯节盛名？这里有一段历史的缘由。太谷，以商著称。从明季到清初的三百余年中，商业的发展由小到大，由近及远，到清代乾隆时，已经“商贾辐辏”。道、咸年间，更进入“黄金时代”。贸易之繁，获“小北京”之美

誉;票号之盛,“执全国金融之牛耳”。太谷城内,沿街接巷,七百余家商号林立,七十二种行业俱备。大商巨富在商业竞争之外,于人文风俗方面也极力效仿苏、杭、扬三州风习,故灯节之活动也随商业之发达而兴盛起来, 各种灯彩也随着贸易的往来,由外地引进。据说“宫灯”和“龙灯”,就是客商自广东引入的。至于大量的灯彩,则效仿扬州,故有“扬州的灯,太谷的影”之说。

由于商贾遍及全国, 广采各地之长聚于一方,所以,太谷的灯彩,以品种多样、制作精巧而著称。乾隆之前,有纸灯、羊角灯、绣球灯、缎绣灯;道光年间,则引进宫灯,形状有八角、六角之分;品种有玻璃、纱、绣之别。灯架大都是紫檀、核桃等硬木制作。凡精品,立架都雕有龙头,口衔宝珠,环饰流苏,刻工精细。灯面或六或八,上书唐、宋诗词,真草隶篆,四体皆备;也有绘花鸟虫鱼者,仿名追古,栩栩如生;也有写人物山水者,描摹逼真,匠心独具。至此,宫灯即自然成为灯中佳品、谷邑特色。其他如各种植物灯、禽兽灯、商标灯等,也花样新奇,生趣盎然。另外,民户悬灯,财力微薄,以悬挂俗称“走马灯”的“灯影”为多。物美价廉,倒也非常精彩。灯呈圆柱形,或纸或纱,用马尾丝将各种传说故事的影人影物吊在其间,借烛光之力推动转盘,人物即在壁上映现, 恍如观皮影戏一般。还有一种俗称“灯虎”者,上写各种灯谜,供游人打字猜谜,于灯节平添许多情趣。

从清代道光年间开始，太谷灯节渐趋兴盛。每逢正月十五、十六、十七三日，太谷城内，沿街铺面，观寺庙庵，大户小院，无不灯彩华美，百彩耀目。天上人间，灯月交辉，观灯人流，挨肩接踵，拥塞街巷，深夜不散。东、西、南三条大街，因商店林立，灯火也最为热闹。东街文会堂、西街文元堂、南街文成堂，以“灯虎”取胜。五彩缤纷的纸带，上写诗谜，粘满墙灯，读书人挨肩并头，学童也钻杂隙间，锁眉思索，猜测灯谜。各行各业，组织行社，于街心搭起神棚，结彩悬灯，十步一棚，请民乐手聚伙为班，吹奏戏曲。北寺入夜则施放焰火，大小三官庙，均挂“三元三品”悬榜，庙前街巷，挂灯成对，每对灯间又悬“喜庆升平”之榜书，光彩照人。龙灯社的“龙灯”，亦自城郊田家后起行，登上城墙，巡行一周，然后串行各街。各大村的社火也进城助兴，享有盛名者有南席的铁棍、石象的狮子、朝阳的九凤朝阳、桃园堡的大头和尚、侯城的张翁背张婆、沙河的秧歌高跷等。社火经过，鞭炮之声大作，硝烟弥漫，纸蝶纷飞，流光溢彩，十分壮观。妇女、儿童坐车观灯者，络绎不绝，常因车马迎面相遇，道窄难让，而至人流拥塞。孔祥熙开设的祥记公司门前，除灯彩而外，尚有一只虎和一头野猪之标本陈列门旁，游人停步趋观，则更为拥塞，每有挤伤压伤者。民国八年，官府颁一条令，凡游人坐车者，必由东往西，不得违向。观灯秩序始趋井然。

1937年,日寇侵华,灯火消歇。直至解放,灯节才又恢复,习俗相沿至今。党的十一届三中全会以后,政通人和,百业俱兴,灯节之盛况,比昔日更胜一筹。

唐琴“飞泉”

程　宽

1939年秋,我从管平湖先生学古琴,曾托夏溥斋买琴。溥老名泉,山东郓城人,儒、佛大师,善于琴。得知平市东城古玩商唐绍武有唐琴一张,琴名“飞泉”,北洋政府靳云鹏(翼青)总理曾出两千元现洋未能买到手, 我又托古玩公会主席崔耀庭,亦未买成。

翌年端午,我应友人徐子才、宋华卿宴请。交谈中知徐、宋与唐绍武结为弟兄,托宋先拿出琴请专家鉴定后再议价。翌日遇宋,宋说唐要价十万,我要求要先鉴定。翌晨唐派其甥青年某抱琴送我家,并转其舅嘱:有人问即说二十万。此时已有人为日人拉线,日人可能出二十万,我即请溥老来家鉴定,认定琴上字迹均是唐人手笔。

宋以程唐两家都系至友,评为五万,我即借款交唐,琴交平湖先生修理。

琴名“飞泉”二字,草镌龙池上,下有一寸半印一方,篆刻“贞观二年”四字;下有一方二寸印,刻“玉振”二字。并有一长方印,刻“金言学士卢赞”六字。池帝篆刻铭文:“高山玉溜,空谷金声。至人珍玩,哲士亲清。达舒蕴志,穷适幽情。天地中和,万物咸亨。”是研究唐琴“飞泉”之珍贵文献。

琴身红漆美秀,玉轸蚌徽,呈小蛇腹断纹,音响如金石,诚神品也。

“飞泉”琴腹内有墨书“古吴王昆一重修”字样,据《今虞琴刊》载:民国初年,在京的湖南琴人李伯仁得此琴于高阳剑侠的儿子之手, 他托燕市修琴名家“义元斋”经理张虎臣修理。虎臣说:“清代末年,此琴原在刑部某主事家,某不善琴,当字画挂在墙上耳。后来我在来薰阁商店见过。至于此琴如何到高阳剑侠儿子之手,就不得而知了。后来又于何时转到李伯仁再转到唐绍武手,亦不得而知。”琴由唐绍武到我手已四十多年,由贞观至今已一千四百多年了。

1979 年冬我从大庆回来经过北京, 曾函国务院表示要捐献唐琴“飞泉”于国家。1980 年 5 月接国务院文物事业管理局通知,接受捐献,欢迎寄京。为慎重计，我带七小女世菊亲送琴到北京。国务院国家文物事业管理局接琴，拨交故宫博物院保管，对我颁发了奖状、奖金，《北京晚报》及时作了报道。亲友认为这是很大的光荣，纷纷向我庆贺。

我国现存最早的木版年画《四美图》

邱文选

中国木版年画的发源地在晋南。晋南的临汾、襄汾都被誉为“木版年画之乡”。现存于丁村民俗博物馆的《四美图》就是我国现存最早的木版年画。《四美图》中的人物为汉代的王昭君、班昭(又名班婕)、赵飞燕和晋代的绿珠。这四美均以其窈窕丰姿、倾国芳容闻名于世。

这幅《四美图》是由金元时平阳(今临汾)木雕版画世家姬家雕印的。版画高二尺五寸，宽一尺左右。画幅上方印有“隋朝窈窕呈倾国之芳容”宋体横批标题，画中四美女形象优美潇洒，仪态风流婉丽，身姿活泼，神采奕奕；洒脱中显得庄重，婉丽中透出自若，生动逼真，栩栩如生。笔法简洁流畅，画图四周刻有“卍”字形花边，上缀以凤凰朝阳，下缀以卉草图案。整个画幅构图

严谨,安排得当;人物线条细致优美,身式匀称,衣饰合体;刻工精致,描绘细腻,刀法刚健洒脱,有极高的艺术价值和欣赏价值。据专家鉴定,是我国年画鼎盛时期——金代的作品。

《四美图》的原版,存于我国西夏的黑水城遗址,即现在的甘肃省黑水城镇附近的一座古塔中。1907—1909年间被一个叫做柯基洛夫的俄国人发现,同时被发现的还有一幅平阳徐家雕印的木版年画《义勇武安王位》等金代珍贵文物,俄国人随后将这些文物窃走,《四美图》被藏于俄罗斯亚力山大三世博物馆中。1914年日本东京帝国大学的狩野直喜博士在亚力山大博物馆看到了这幅年画,认为是稀世珍品,便设法复制并将复制品带回日本,随即公开发表,引起东京学者的普遍关注。1929年日本的另一位学者那玻利贞又写了一篇评论文章,对此画加以评论,从而在世界上引起反响,特别引起世界美术界重视,公认这是中国版画史上划时代的作品,在世界版画史上大放异彩。现存于丁村民俗博物馆的这幅《四美图》是新中国成立后通过外交途径从苏联复制回来的。

《新刻金瓶梅词话》寻觅记

散　木

北京琉璃厂卖书也收书，书铺主人常不辞辛苦外出问书，回京以博重值。晚清以降，山西钱庄票号衰败，而其以前发达时不惜千金购买的书籍精品，亦大多由此流散于外。琉璃厂书商遂结队而来，专事搜求流于山西各县的小说，戏曲“秘本”。其中最著名的一部书就是张修德在介休发现的明万历丁巳年刻本《新刻金瓶梅词话》。张以极廉之价购回，回京又以五百元大洋转手卖给“文友堂”，这就是“万历本”、“词话本”的《金瓶梅》孤本。由于它不见诸家著录，又刻本最早，遂成为琉璃厂乃至全国文化界的一大轰动新闻。北京图书馆馆长徐森玉以及学人郑振铎、孙楷第、赵万里等接踵而来，与“文友堂”洽商，售归当时东方之首的中国国家级图书馆——北京图书馆。但“文友堂”老板以为奇货可居，竟将该书秘密隐藏，对外放出风声说已被书主索回，又说要一睹其貌，可付高价款换得其“胶片”。“文友堂”素与日本文化人有交往，每遇善本便高价售给日人，近代中国大量的文物典籍就是这样被贪利黑心的书贩、文物贩、官吏转手流失于日本的。京城学人听说“文友堂”隐匿

珍本,图谋不轨,激起公愤,有人将炸弹置于"文友堂"门前,又贴"爱国锄奸"字样的标语以示警告。这样,"文友堂"老板才被迫以高价数千元将该书售给北京图书馆。可是北图竟无力付款,最后方以几位著名藏书家赵万里、袁同礼等出面筹资,将《新刻金瓶梅词话》藏于北图。后来,用集资办法以"古佚小说刊行社"名义影印了一百二十部,每部售价一百元大洋来补偿书价。当时鲁迅等皆预约定购。1957年文学古籍刊行社又重印了少量《金瓶梅词话》,也是以这个本子为本,但原书却在抗战中寄存在美国国会图书馆,1975年始归藏台湾。近年来台湾、香港出版的《金瓶梅词话》也都是以此书为本的。

郑板桥在山西的墨迹

邱文选

现在经常见到的"布衣暖,菜花香,诗书滋味长"的条幅,原是"扬州八怪"之一的郑板桥为山西襄汾县(原太平县)尉家所书。笔者是襄汾人,现以尉家后裔所述及笔者所见,将郑板桥与尉家关系及为其所留书画墨宝之事记于后。

乾隆年间,在扬州经商的山西巨富尉嘉邀请郑板桥到山西省太平县师庄(今襄汾县赵康镇)尉家任私塾教师。郑板桥应聘到尉家后,主人专辟一处书房院供其使用,院内碧兰翠竹,清静雅致。郑板桥白日讲学教书,晚间乘清风明月,吟咏诗词,绘兰画竹。主人见所画脱俗超凡,妙若真植一般,敬羡之至,即备白绫,请画墨竹多幅,裱为条幅,制成桌裙,予以珍藏。此珍品一直保存至抗战初期,目睹者众口称赞,叹为观止,可惜在日寇抢掠烧杀中失佚。

郑氏为塾师时,以身作则,为人师表,极为尉家尊敬。主人曾询问何以教育后代习书作人之道,郑氏即挥毫书写成句:"布衣暖,菜花香,诗书滋味长。"主人特请艺匠刻石留念,视为传家之宝,代代相传。抗战前石碑仍存尉家书房院,爱好者常往临拓。日本侵华,人们无暇顾及这块石碑,被弃于院内南墙下,直到1964年四清运动时才被发现,现存县博物馆。该碑青石阴刻,长一米,宽五十厘米,落款有"板桥"二字和两方篆刻"郑燮"、"丙辰进士"图章。书体行笔潇洒俊逸,于隶体中参入行楷,别具书法风韵,乃郑氏书法墨迹真品。凡观赏或临摹者,莫不同声赞绝。

郑氏离开尉家赴山东范县任县令时,因感在尉家时主人知遇之情,以其经世处人所得,于乾隆辛未年间(1751)所书"难得糊涂"条幅相赠。主人获此墨宝后感其盛情,仍刻石留念。抗战前尉家还曾拓成条幅,挂在正院西房墙上,供人欣赏。可惜所拓墨迹和石刻均在战乱中遗失,所幸当时有书法爱好者临拓下来,才使这一墨宝得以保存至今。

百蝠瓶

李守同

我家祖传的"百蝠瓶"是慈禧太后御赐的。

"百蝠瓶"长颈圆肚，瓷质细腻，熠熠生辉。瓶面上彩绘祥云缭绕，整整一百只蝙蝠，姿态各异，遨游其间，栩栩如生，象征着诸事顺遂，百福降临。

当年笔者高祖李万清在清宫太医院中任正堂院判，专为慈禧太后和同治帝治病。同治一世风流，寻花问柳，染上了花柳病。高祖得知原委，却不敢对症下药，自然久治不愈，惹恼了慈禧太后。一日，慈禧召见高祖厉色责问病因，高祖不得已只好实情禀告。慈禧听罢大怒，愤然将凤冠摔碎地下。高祖吓得摘去顶戴，跪伏告罪，自此又惊又怕，一病不起，抑郁而死。入殓时也只能将顶戴置入棺中。

高祖病逝后，曾祖李德立承父业，接替正堂院判，奉伺慈禧太后和光绪皇帝。好在光绪体质好，日子比较好过，一旦治好小毛病，也常受封赏。曾祖六十大寿时，李莲英因曾祖为其母治好过病，送了两个大"寿"字。一个"寿"字是用一百锭金元宝拼成，一个"寿"字是用一百锭银元宝拼成。那尊"百蝠瓶"，就是曾祖为慈禧治好感冒而受赏的。八国联军入京后，慈禧西逃，曾祖随逃时家私也丢弃殆尽，只留下“百蝠瓶”传给了我父亲。

山西光复纪念章

田秋平

辛亥革命在太原起义成功后，阎锡山曾铸造过一枚精致的“山西光复”纪念徽章。有关徽章的历史情况，查阅书籍资料均未见记载，其实物更鲜为人知。前不久在搜集整理辛亥革命资料时，有幸发现了此枚徽章，现介绍如下，以飨读者。

山西光复纪念徽章为圆形，直径二点五厘米，铜质金黄色。正面为山西都督阎锡山戎装半身凸鼓像，中心下方铸有“晋都督阎”四字。背面中心上方两面交叉着的铁血旗和白旗，下方铸有“山西光复第一周纪念章”字样。另外，圆形徽章上方有一突出的圆孔，可以佩带。

辛亥革命前，同盟会会员阎锡山曾是清政府驻山西的陆军八十六标(团)标统(团长)。1911年10月29日太原起义成功的当天上午7时，起义的主要领导人(包括阎锡山)和山西同盟会人员及省城重要绅士在省咨议局(太原东缉虎营一号)集会，公举阎锡山为山西军政府都督。从以

上历史和徽章上铸有的“山西光复第一周”字样不难看出,该徽章应是山西辛亥革命成功后第7天即11月5日,为纪念“推翻清王朝、光复山西、建立民国”这一历史事件而铸造的。它是晋省辛亥革命历史的产物,八十年来历经沧桑,保存至今,确实是件难得的珍贵历史遗物。

平遥推光漆器

文 吉

“平遥漆器”,源远流长,上可追溯到商周,历经春秋战国,已初具雏形。到汉唐,特别是盛唐时期,其规模与水平“卉耀英华”。到明清发展到鼎盛时期,产品风靡三晋大地,开始出口英、俄、新加坡等国。

推光漆工艺的主要特色是利用我国特有的大漆,在精致的木胎上挂灰后,髹涂、阴干、磨推,多至八、九道工序,然后手工推光,即成推光漆。再经描金彩绘,或刻灰雕填、镶嵌等工艺,装饰出花鸟、山水、草虫蝴蝶、殿台楼阁、人物故事以及多变的纹样图案,最后按不同规格品种,合理地安装铜制饰件。

推光漆器用料考究,工艺独特,造型华丽,线条流畅,漆面光洁,映影似镜,防潮防热性能优异,漆面以烟头燃过,擦拭后依然如故。任何化学品,不能使漆膜受蚀。其质量、式样独踞鳌头。因此,产品饮誉中华,蜚声海外,远销西欧、加拿大、澳大利亚、日本、香港等二十八个国家和地区。

清朝以前,平遥生产大柜、条几、团桌、皮箱、茶盒等日用家具,都为素底描金。到清初开始了以金漆为主,有红、紫、蓝、绿、黄等颜料入漆,漆面不推光的色料彩画工艺,初步形成了平遥漆器描金彩画的特殊风格。在清朝中叶,创出了增厚漆层,用木炭磨光漆面,后用手掌推出光泽的新工艺。

清朝,平遥城内搞漆器的店铺多达十四家,是历史上平遥推光漆器的兴盛时代。经过众多艺人的研磨发展,工艺不断革新。到光绪年间,艺人乔泉玉在工艺上减少了擦色,增加了漆色,发挥了南方玻璃画的特点,吸取了唐宋工艺重彩的精华,从而发展了推光漆器绘画艺术,形成了“乔派”风格。当年正太铁路的法国总办,多次到平遥向乔泉玉订货。

1957 年 7 月，在北京召开工艺美术界艺人代表会，平遥推光漆老艺人任茂林带着传统产品参加了盛会，受到周总理和朱委员长接见和勉励。

稷山板枣

杨海山

稷山板枣，又名扁枣，形如秤砣，皮薄肉厚，甘甜脆口。鲜枣含糖量33.67%，干枣含糖量74.56%~80%，含酸量0.36%，可食率96.56%。干枣掰开，能拉出长丝，是全国红枣中的上品。明代李时珍在《本草纲目》中说："南枣坚硬，不如北枣肥美，尤以齐晋所产者为佳。"晋枣，即指稷山的板枣。

稷山板枣的产地，主要分布在陶梁、姚村、新庄、胡家庄等地。那里土壤属于古代"洪积相和河糊相"的交错地带，是汾河三级阶地较开阔的古河床切割的低洼地带，所产的板枣品质最好。比如汾北，从化峪到西社一线公路之南，至汾河三级阶地前沿以北，南北宽四至五里，东西长四十余里的地带，汾南柳沟坡以南，翟店、清河滩以北中间地带，南北宽十余里，东西长四十余里的地区，也适于板枣生长。笔者故乡地处稷山县西陲。我家有枣树七十余株，每到收获季节，临村村民皆来拾枣。笔者询问家父，该村何以不种枣树?家父说，把咱村的树栽到他们村就变成咸枣了。由此可见，板枣的生长与地层、地貌以及地下水矿化程度，都有密切关系。

平遥牛肉

文吉

平遥牛肉,肉质鲜嫩,肥而不腻,瘦而不柴,醇香可口,久食有扶胃健脾之功效。早在清代已誉满三晋。

平遥牛肉,制作工艺独特。一是屠宰时要将血放净;二是腌渍时要用硝盐;三是煮牛肉时不加任何佐料,叫"白煮",用特制深锅,取平遥城内咸水一次加足,开始火宜大,两小时后逐渐减弱,文火煮到八成熟,即焖火,直至煮熟,让肉在锅内由原汤养渗十二小时。

据考,平遥牛肉,始于清嘉庆、道光年间。初,屠户雷全泉及其子孙在城内文庙街开设"兴胜雷"宰坊,逐渐发展兼作加工熟牛肉,长达一百余年。后有任大才与其子任仰文在西大街设"自立成"牛肉铺。民国初年有西郭村韩来宝在南门外开办"隆盛旺"牛肉店。有韩照林在西大街七号开辟门面,加工牛肉。此后,制作出售熟牛肉的作坊、店铺逐渐增多,当地货源不足,遂到沁源、沁县、武乡、离石和石楼等地外采。五十年代后期,县政协委员马生富承袭其舅父任仰文加工牛肉绝技,又亲传手授十余人,牛肉质量大为提高。1956 年 4 月在北京举行的全国名产食品展览会上，被定为名产之一。

汾酒源流

季　康

杏花村汾酒，历史悠久。南北朝以前，已难稽考。史籍上最早记载的，要算《北齐书》所载北齐武成帝高湛给孝瑜的信："吾饮汾清二杯，劝汝于邺酌两杯。"这件史料，说明汾酒在当时已负盛名。

历史上对汾酒的发展史记载不多，《山西通志》、《汾州府志》、《汾阳府志》，都没有系统的记载。《山西通志》中只说："汾州有羊羔、玉露、豆酒之名。羊羔、玉露尤美。"《汾州府志》卷十四《艺文》中，载有清代汾阳名流曹树谷所写《汾酒曲》一诗，对汾酒的史实、品质、酿造、酒业、历史名人评价等，有较多的反映。宋朝张能臣《酒品记》，只提到"汾州甘露杏"。明代王世贞《酒品》也提到："羊羔酒出汾州、孝义等县，白色，清澈如冰，清美饶风味，远出襄陵之上。"又说："太原酒颇清醇，而不甚酽，难醉易醒。余尝取其初熟者，以羊羔剂半尝之，泻水精杯不复辨色，清美为天下冠。"

《汾酒曲》作者曹树谷，字书农，汾阳太平村人。大约生于清乾隆五十七年(1792),死于同治元年(1862),著有《汾州府志考谬》二卷。他写的《汾酒曲》全诗,七绝八首。第一首末两句说:"长街恰付登瀛数,处处街头揭翠帘。"它表明在清朝中叶,杏花村酒业已非常兴盛,酒店有十八家。第二首首句说:"甘露堂荒酿法疏",可见宋时的甘露堂,到清代已荒废得不可寻找了。第三首歌颂了申明亭畔的井水,从"申明亭畔新淘井"句来看,申明亭畔的井是新淘的。井水的优良,到达"水重依稀亚鳖黄"的程度。注说:"申明亭井水绝佳,以之酿酒,斤两独重。"第四首透露给我们的当时情况是:"业酿者多芦姓",而今除存有芦家街外,芦姓已不可考。后四首的第一首赞美汾酒的香,次首赞美汾酒的色,第三首赞美汾酒的质量,末首"两字汾清补酒经"句,说明曹亦认为武成帝所说的"汾清",就是指的杏花村汾酒。

谷米之王"沁州黄"

曹助民

山西沁县旧属沁州,土地硗薄,虽历来"专力耕农",但农业并不发达。然而誉满天下的"沁州黄"却偏偏出产在这块贫瘠的土地上。

"沁州黄"是沁县独有的谷物,过去仅产于

沁县次村乡檀山一带，虽经几百年种植栽培，可仍“不能下山”。

据说，“沁州黄”是由檀山岭的一位高僧栽培出来的，初名“爬山糙”。此谷碾出的小米，粒圆质润，金黄透亮，吃起来松软甘美，香甜可口。寺中僧人若有体弱卧床、不思饮食者，熬此米汤饮之，很快即可康复。

明嘉靖年间，一位檀山寺僧托人给他住在京城的亲戚捎去黄米一斗，为他刚分娩的儿媳调养身体。正值此时，宫中皇后也因生子失血过多，病势沉重。一天，皇后突然要喝“黄金汤”，急得太监满城乱转寻找此汤，几个太监在街上恰好遇到寺僧的亲戚，正端着一碗“黄金汤”要给隔街的产妇送去，于是不由分说，将米汤抢入宫中。皇后喝完此汤，精神大振。世宗皇帝见状，发旨沁州，年年进贡黄米，并赐名“沁州黄”。

清康熙年间，一位原籍沁州姓吴的保和殿大学士，献米给康熙帝。康熙帝食后非常满意，将“沁州黄”列为上等珍品，命年年进贡。慈禧太后最爱吃的“八宝粥”，其中一宝正是“沁州黄”。

1919年，“沁州黄”曾在印度、巴拿马国际博览会上获奖。

据调查，多年食用“沁州黄”的檀山村民，自古无人得过癌肿，各种炎症也很少。

太原宁化府益源庆的名特醋

武　福

近现代，山西醋行，首推宁化府益源庆醋场。该场开业于清朝，开始以磨面为主，酿造醋、酒为辅。民国十年，太原增办了第二个面粉厂，益源庆经理李富恒就把经营重点转向以酿醋为主。他一方面聘请技术超群的师傅，一方面研究精选原料。十年来，由于不断总结经验，坚持独特的操作技术，所以，醋场生意兴隆，誉满全国。

益源庆醋场的制醋技艺从选料到成醋有十大要诀，其中关键的一条是熏醋坯，即将酿成的醋坯取百分之四十倒入熏缸加盖(陶瓷盖)，每天按顺序翻倒一次，熏四五天即成。要求色黑红发亮，注意添火时间，每天两三次，要掌握火候，添火时间固定。熏坯的作用，在于增加醋的色泽和藿香味，这道工序是益源庆醋场所特有的。

太原"清和元"羊肉馆

吴全山

太原回民饭店中，清和元羊肉馆要算历史悠久、脍炙人口的一座老店了。

相传清朝初年，阳曲县回族朵家在太原市南仓巷，开设了一个羊肉馆，专营山西地方风味小吃，这就是初创的"清和元"。民国年间，"清和元"生意兴隆起来，不仅有招待普通顾客的餐室，还有较高级单间雅座小阁子招待上层人士，成为当时太原十二家正店中很有名气的一家。

"清和元"饭店经营的地方风味小吃，首推"头脑"，这是秋冬两季出售的食品，每年农历白露上市，翌年立春停止。头脑又叫"八珍汤"，指配料共有八样，即羊肉、藕根、长山药、煨面(蒸熟的白面)、良姜、黄芪、酒糟，外加腌韭做为"引子"。头脑是在一碗糊状的汤里，放着三块肥羊肉，一块藕根和一块长山药，在酒和羊肉的味道里，混合着清淡的药香，具有一种特殊的风味。这种风味食品，也起着滋补身体的作用，具有益气调元、活血健胃、滋补虚损的功效。产妇多吃可以下奶，也适于噎嗝、尿频、腹痛、经漏带下、吐血的患者。"清和元"出售的"头脑"，据传与傅山有关。傅山学识渊博，精通医学。傅母年老体弱，傅研制出此“八珍汤”供母食用，其母八十而终。后来傅山将此汤传到朵家羊肉馆，晓以炮制方法，并建议将羊肉馆定名“清和元”。把八珍取名“头脑”，羊碎取名“杂割”，三个词联起来读，就是“头脑杂割清和元”。

御用圣药龟龄集

冯　妇

山西太谷县广升药店(今山西中药厂)的龟龄集以“补品之王”名扬中外，它的来历，说来源远流长。

朱元璋八世孙朱厚熜(嘉靖帝)体弱，无子，1522年登基后广集长生不老药。方士邵元节和陶仲文精心研究宋代道士张君房所辑《云笈七籤》后，取长补短，以人参、鹿茸、海马、雀脑、地黄、苁蓉、枸杞、淫羊藿等二十多种珍贵滋补药材配制一方，采用炉鼎升炼技术炮制成药，取名“龟龄集”，作为长生不老的“仙药”，献给嘉靖帝。嘉靖帝服药后，果然身体日渐强健，并连生数子。从此龟龄集列为“御用圣药”。

邵元节、陶仲文因献药受宠，位跻三孤。当时协助炮制龟龄集并兼任皇宫医药总管的人，是陶的义子，山西太谷人氏。他告老还乡时，将龟龄集处方秘密带回，自家炮制服用，或作礼品

馈赠亲友。后来,几经辗转,此药处方传入广升药店,从此龟龄集成了该店的独特产品,以成药广传民间。但其神秘的处方、特异的升炼工艺,仍为广升药店独家占有,别无它店可以仿制出来。

宫闱圣药定坤丹

冯　妇

"定坤丹"是清代乾隆年间,乾隆帝集全国名医集体研制出的专供内廷服用的"宫闱圣药",举国上下,别无分店。然而,定坤丹的声誉怎会鹊起山西太谷县?说穿了也很偶然。

乾隆四年(1739),太医院召集全国名医编纂《医宗金鉴》,乾隆帝看到闭锁深宫、精神抑郁、思想苦闷的宫妃们个个身体衰弱,由此想到皇族的嗣衍,便传下圣旨,要名医们即速研制出一种可治此病(郁血病)的药物。圣旨一下,名医风动,他们用人参、鹿茸、当归、红花、三七、香附、鹿角霜……等若干原料开出处方,付诸临床,医效甚佳。乾隆帝大喜,遂给此药起名为"定坤丹"。"坤"者,妇人也;"定坤"者,坤宫得到安定也。还把定坤丹列为"宫闱圣药",专供内廷使用。

当时,清廷有个监察御史叫孙廷夔,山西太

谷人。因其母患病求药,他便设法从太医院将定坤丹处方抄出,交其家庭药铺“保元堂”配制,仅供其家眷服用。后来,几经辗转,落入太谷“广升药店”,该店依法炮制,销售民间,患者服之,顿生奇效,由此名声鹊起。据太平天国史料记载,洪秀全攻克南京后,命其部将孙某攻取山西时,保护制造“定坤丹”、“龟龄集”的药店,并将该店成员和设备全部迁至南京。因孙某未攻到山西已阵亡,而太平天国亦不久失败,南迁计划落空。

后 记

晋文化根植极深，绵延不绝，是华夏文化重要发祥地之一，代有人才，各领风骚，文物斐然，地面古建居全国之冠。清末以降，百忧丛集，维新派与革命派诸贤革故鼎新，亦着先鞭。辛亥一役，山西成为首义省份有自而来。

阎氏主省政达三十八年，与民国相始终，在中国地方实力派中为仅见，其施政百端自成一格，成败顺逆间颇足记述，迥非“土皇帝”三字所能论定。况且他统制再严，先进思潮依然迭宕，杰出人物次第出现。其间，以“五四”北大学生领袖、中共早期著名活动家高君宇为前驱的中共山西地方组织，早于1923年便已成立，在工运、农运、学运、文运诸领域，敢为天下先，虽屡遭挫折，但薪尽火传，终成燎原之势。抗战军兴，山西后于张、杨，先于全国建立了抗日民族统一战线。红军三大主力东渡黄河，开辟了三大革命根据地，民族精英荟萃，武功文事呈一时之盛。

中央文史研究馆萧乾馆长倡导汇编《新编文史笔记丛书》，诚如总序所言：以清末至1949年这大半个世纪为背景题材所写出的作品，必然是内容最丰富的。全国如斯，山西亦复如斯。

当然，笔记并非史传，于重“三亲”，讲求字字有来历外，尚应力求行文飘逸，笔调清新。中国是个散文大国，上溯先秦诸子，中历魏晋名贤、唐宋八家、明公安、竟陵才俊直至清龚自珍，下迄“五四”以来的鲁迅、周作人，无论记人叙事，写照传神，谠言危论都足称千秋绝业。中国文学史上的一等人物可以不以诗名，不以小说、戏剧名，可是很少有不以散文名的。散文中相当大的部分带有笔记色彩。

近二三十年散文不怎么兴旺，笔记几成绝响，这才有萧老所萌生的“挽回颓势”的意思。

山西省文史研究馆编辑的《汾晋遗珠》，因人员变易，动手较迟，又经结构性易稿一次，终以钩沉、润饰历届馆员及政协委员旧稿为骨骼，兼征馆内外耆贤名宿的新作，从数百篇中精选出一百四十四篇，遂成此集，于内容及文采两方面或有可观。惟以编者水平有限，各篇间或有参差，未臻善境，惶恐中尚祈海内外读者匡正。

本集征稿、编辑过程中，屡向中央文史研究馆诸领导请益，刘北汜、谢云两先生惠予编审；我馆馆员以此书为纽带加强了联系和切磋。除供稿外，师道刚、常士晔、孙东元馆员，还与许世英副馆长，霍成勋、李志刚同志一起组成编委

会。先后参加编辑工作的有张全盛、肖利平、张全富、张志斌、王生甫。

我馆馆员刘永德为山西近代书法大师赵铁山的入室弟子，年逾八旬，笔力遒劲，为本集题签，洵为生色。

编　者